Quizzes with Answer key

GLENCOE FRENCH ③

Bon voyage!

Conrad J. Schmitt • Katia Brillié Lutz

Glencoe
McGraw-Hill

New York, New York   Columbus, Ohio   Woodland Hills, California   Peoria, Illinois

Glencoe/McGraw-Hill

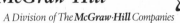

*A Division of The **McGraw·Hill** Companies*

Send all inquiries to:
Glencoe/McGraw-Hill
8787 Orion Place
Columbus, OH 43240-4027

ISBN: 0-07-824744-6

Printed in the United States of America.

1 2 3 4 5 6 7 8 9 10 079 08 07 06 05 04 03 02 01

Table des matières

Nom _____ Date _____

Quiz 1

Culture

Les Français et les voyages

Complétez le paragraphe avec les mots de la liste qui conviennent. (*10 pts.*)

attirent	guère	paysage	rapport	souhaiterais
camping	malgré	proche	sens	vacanciers

Cet été nous irons passer nos vacances dans un _____ au

1

bord de la mer. Nous partirons, comme tous les autres _____,

2

le premier août. Nous ferons le voyage en voiture, _____ les

3

bouchons sur l'autoroute. Quand nous aurons faim, nous nous arrêterons dans le vil-

lage le plus _____ et nous y chercherons un bon petit restau-

4

rant. Après le déjeuner, quand nous reprendrons la route, il nous faudra regarder une

carte routière pour savoir dans quel _____ aller. Dans la

5

voiture, nous écouterons la radio et admirerons le _____, qui

6

est très joli en été. Je _____ voir des chevaux sauvages

7

comme nous en avons vu en Camargue l'été dernier. Mais par

_____ à la Camargue, la Côte d'Azur n'a

8

_____ de chevaux sauvages. Par contre, il y a beaucoup

9

d'oiseaux de mer là-bas. La mer, les oiseaux et toute la beauté naturelle de la Côte

d'Azur _____ les touristes.

10

Nom _____ Date _____

Quiz 2

Conversation

Avion ou train?

A Complétez les phrases d'après les dessins. (*5 pts.*)

1. Valérie est très _____. Son avion va partir dans une demi-heure.

2. Elle prend un taxi, mais il y a un gros _____ dans le centre-ville et le taxi n'avance pas.

3.–4. Arrivée à l'aéroport, elle regarde _____ pour voir

   combien elle doit payer et elle voit que _____ s'élève à 25 euros.

5. Pauvre Valérie! Son avion vient de partir. Elle _____ son avion.

B Mettez les phrases suivantes en ordre. (*5 pts.*)

_____ Serge a composté son billet et est allé sur le quai.

_____ Dans le taxi Serge a écouté la radio. Il a entendu: «On prévoit un orage pour cet après-midi.»

_____ Mardi matin, Serge est allé à la station de taxis en face de chez lui.

_____ Serge n'était pas content parce qu'il n'avait pas pris son imperméable.

_____ Arrivé à la gare, Serge a regardé le tableau des départs pour voir si son train allait partir à l'heure. Hélas non: on prévoyait un retard d'une heure.

Nom _____ Date _____

Quiz 3

Langage

En voyage!

A Que diriez-vous dans les situations suivantes? (*2 pts.*)

1. Votre ami(e) part en vacances.

_____

2. Vous êtes touriste à Paris et quelqu'un vous demande où se trouve une rue que vous ne connaissez pas.

_____

B Demandez poliment les renseignements suivants. (*4 pts.*)

1. l'heure du concert de rock ce soir

_____

2. comment utiliser une télécarte

_____

C Pour chaque réponse, donnez la question qui correspond. (*4 pts.*)

1. «Les oignons sont à 2 euros le kilo.»

_____

2. «La bouteille d'eau minérale, les pommes et le rouleau de papier hygiénique? 9 euros.»

_____

Nom _____ Date _____

Quiz 4

Structure I

Le passé composé avec **avoir**: verbes réguliers

Mettez au passé composé. (*10 pts.*)

1. Ce matin, mon frère et moi, nous attendons le facteur.

_____

2. Je passe une heure au téléphone.

_____

3. Mon frère écoute la radio.

_____

4. Notre mère sert le déjeuner à midi.

_____

5. Puis nos parents choisissent une émission à regarder à la télé.

_____

6. Vers trois heures, ils demandent: «Alors, vous finissez vos devoirs?»

_____

7. Je dors un peu.

_____

8. Nous perdons patience.

_____

9. Enfin, on entend le facteur devant la maison.

_____

10. Il nous distribue le courrier.

_____

Nom _____ Date _____

Quiz 5

Structure I

Le passé composé avec avoir: verbes irréguliers

Répondez aux questions en suivant le modèle. (*10 pts.*)

Mari-Laure va suivre un cours d'italien? →
Non, elle a déjà suivi un cours d'italien.

1. Charles va vivre à Paris?

   Non, _____.

2. Il va mettre ses bagages dans la voiture?

   Non, _____.

3. Il va dire au revoir à ses parents?

   Non, _____.

4. Il va conduire son copain à l'aéroport?

   Non, _____.

5. Tu vas voir Charles avant son départ?

   Non, _____.

6. Ta sœur et toi, vous allez lui offrir un cadeau?

   Non, _____.

7. Son copain et lui vont prendre un coca au café?

   Non, _____.

8. Charles va écrire à son copain?

   Non, _____.

9. Son copain va recevoir beaucoup de cartes postales?

   Non, _____.

10. Il va lire les cartes postales de Charles?

    Non, _____.

Nom _____ Date _____

Quiz 6

Structure I

Le passé composé avec **être**

Complétez les phrases au passé composé d'après les dessins. Employez un verbe différent dans chaque phrase. (*10 pts.*)

1. Hier Alain et Guillaume _____ à la plage.

2. Ils _____ vers onze heures.

3. Ils _____ à la plage vers midi.

4. Ils _____ jusqu'au petit café qui se trouve en haut de la dune.

5. Ils _____ dans le café pour déjeuner.

6. Après, ils _____ du café.

7. Ils ont pris l'escalier et ils _____ sur la plage.

8. Leur copine Carole _____ faire du surf avec eux.

9. Plus tard, ils ont fait du surf et ils _____ dans les vagues!

10. Ils _____ chez eux à six heures du soir.

Nom _____ Date _____

Quiz 7

Structure I

Le passé composé de certains verbes avec **être** et **avoir**

Choisissez. (*10 pts.*)

1. Hélène _____ dans sa chambre d'hôtel pour regarder le plan de la ville. (a monté / est montée)

2. Elle _____ le plan de son sac à dos. (a sorti / est sortie)

3. Elle _____ l'escalier parce que l'ascenseur ne marchait pas. (est descendue / a descendu)

4. L'autobus 42 _____ devant son hôtel. (est passé / a passé)

5. Hélène _____ dans l'autobus 42. (a monté / est montée)

6. Elle _____ au musée d'Orsay. (est descendue / a descendu)

7. Elle _____ tout l'après-midi au musée. (a passé / est passée)

8. Elle _____ à pied à l'hôtel. (est rentrée / a rentré)

9. Elle _____ au musée le lendemain parce qu'il y avait d'autres tableaux qu'elle n'avait pas eu le temps de voir. (a retourné / est retournée)

10. De retour dans sa chambre, elle _____ toutes les cartes postales qu'elle avait achetées au musée et elle les a regardées. (est sortie / a sorti)

Nom _____ Date _____

Quiz 8

Journalisme

L'Acadie

A Exprimez d'une autre façon ce qui est en italique. Écrivez des phrases complètes. *(5 pts.)*

1. *Les francophones de la Nouvelle-Écosse, du Nouveau-Brunswick et de l'Île-du-Prince-Édouard* sont connus pour la façon dont ils reçoivent les touristes.

   _____

   _____

2. Leur *façon de recevoir les touristes* est chaleureuse.

   _____

3. Ils aiment *danser la gigue.*

   _____

4. Ils dansent au son des *instruments à cordes.*

   _____

5. Dans cette région, il est agréable de passer la nuit dans *un petit hôtel.*

   _____

   _____

B Complétez. *(5 pts.)*

1. Ces gens sont connus pour leur hospitalité. Ils sont très

   _____.

2. Ils adorent recevoir les touristes. Ils les reçoivent avec le

   _____.

3. Dans leurs restaurants, vous découvrirez les _____ acadiens.

4. Ils ont réussi à _____ de grands obstacles.

5. Pendant «le Grand Dérangement», ils ont beaucoup souffert du

   _____.

Nom _____ Date _____

Quiz 9

Journalisme

La météo

A Il fait beau ou il fait mauvais? Répondez. (*5 pts.*)

1. Le temps est orageux. _____

2. Il y a du tonnerre et des éclairs. _____

3. Le soleil brille. _____

4. Le temps est pluvieux. _____

5. Le ciel est dégagé. _____

B Choisissez. (*5 pts.*)

1. une averse
   - **a.** la pluie
   - **b.** le vent

2. une rafale
   - **a.** la pluie
   - **b.** le vent

3. la brume
   - **a.** l'humidité
   - **b.** le soleil

4. une éclaircie
   - **a.** l'humidité
   - **b.** le soleil

5. une goutte
   - **a.** la pluie
   - **b.** le vent

Nom _____ Date _____

Quiz 10

Structure II

Le subjonctif présent des verbes réguliers

Complétez au subjonctif. *(10 pts.)*

1. Je voudrais que tu _____ en vacances avec moi cet été. (partir)

2. Avant de partir, il faudra que nous _____ une carte routière. (regarder)

3. Il faudra qu'on _____ un itinéraire intéressant. (choisir)

4. Mes parents veulent que j'_____ une lettre à ma tante. (écrire)

5. Mon oncle aimerait que ma tante me _____ sa vieille voiture. (vendre)

6. Si j'achète sa voiture, il faudra que nous la _____ prudemment. (conduire)

7. Il faudra que nous _____ de l'essence sans plomb dans le réservoir avant de partir. (mettre)

8.–9. Tu préfères que j'_____ la voiture de ma tante ou

que nous _____ d'une voiture de location? (acheter, se servir)

10. Je veux que mes parents _____ à ma tante que sa voiture m'intéresse. (dire)

Nom _____ Date _____

Quiz 11

Structure II

Le subjonctif présent des verbes irréguliers

Qu'est-ce qu'il faut qu'ils fassent? Suivez le modèle. *(10 pts.)*

vous / être à l'heure ⟶
Il faut que vous soyez à l'heure.

1. tu / aller à l'école

   _____

2. je / avoir de bonnes notes

   _____

3. les profs / être gentils

   _____

4. vous / faire vos devoirs

   _____

5. notre équipe de basket / pouvoir jouer demain

   _____

6. les joueurs / vouloir vraiment gagner

   _____

7. vous / savoir lire et écrire en français

   _____

8. l'examen / ne pas être trop difficile

   _____

9. tu / faire la cuisine ce soir

   _____

10. nous / aller dans un bon restaurant chinois demain

    _____

Quiz 12

Structure II

Le subjonctif avec les expressions de volonté

Complétez au subjonctif. *(10 pts.)*

1. J'aime qu'il _____ beau pendant les vacances. (faire)

2. Mon copain Nicolas préfère que le temps _____ très mauvais. (être)

3. Nicolas souhaite que nous _____ voir une tempête sur la mer. (pouvoir)

4. Il veut que tous les copains _____ à la plage pendant la tempête. (aller)

5. Mais les copains n'aiment pas la pluie et insistent pour qu'il leur

   _____ de partir après cinq minutes. (permettre)

6. Nicolas dit aux copains: «Je voudrais que vous

   _____ une promenade avec moi sur la plage.» (faire)

7. Je lui dis «D'accord», mais j'exige qu'il _____ un imperméable. (mettre)

8. Les copains aiment mieux que je les _____ dans un café pendant la tempête, mais je commence à aimer la tempête. (suivre)

9. J'aimerais qu'ils _____ qu'une tempête peut être belle à voir. (savoir)

10. Après notre promenade, Nicolas veut que je leur

    _____ le poème que j'ai écrit. (lire)

Quiz 13

Structure II

Le subjonctif avec les expressions impersonnelles

Complétez les phrases d'après le modèle. *(10 pts.)*

Jean-Claude part en Espagne. →
Il est temps que Jean-Claude parte en Espagne.

1. Il lit des guides touristiques.

   Il faut qu'_____.

2. Il veut passer l'été à Madrid.

   Il est bon qu'_____.

3. Son amie lui écrit tous les jours.

   Il est important que _____.

4. Ses parents vont à l'aéroport avec lui.

   Il vaut mieux que _____.

5. Il fait des excursions avec un groupe d'étudiants.

   Il est possible qu'_____.

6. Ces étudiants savent parler espagnol mieux que lui.

   Il se peut que _____.

7. Je lui dis d'être patient.

   Il est juste que _____.

8. Jean-Claude et moi, nous connaissons les cousins espagnols de notre prof.

   Il est bon que _____.

9. Ces cousins ont une maison de campagne près de Séville.

   Il est possible que _____.

10. Jean-Claude finit ses devoirs d'espagnol avant d'aller chez eux.

    Il est indispensable que _____.

Nom _____ Date _____

Quiz 14

Littérature

Le petit prince

A Exprimez d'une autre façon ce qui est en italique. Écrivez des phrases complètes. *(5 pts.)*

1. Je *me promène sans but* dans le jardin.

   _____

2. Je *regarde rapidement* les roses.

   _____

3. Est-ce que l'inflation *cause* la dépression économique?

   _____

4. Le professeur *pose des questions* aux élèves.

   _____

5. Les gens qui travaillent dans ce laboratoire sont des *personnes qui contribuent aux progrès d'une science.*

   _____

B Complétez. *(5 pts.)*

1. La tulipe est une _____.

2. La rose est belle, mais attention! Elle a des _____.

3. Mon crayon n'écrit plus très bien. Il faut que je le

   _____.

4. Les vieilles maisons en _____ sont belles.

5. J'ai besoin de mettre de l'_____ dans mon stylo.

CHAPITRE 1

Quiz 15

Littérature

Le départ du petit Nicolas

Complétez. *(10 pts.)*

1. Le garçon n'a pas rempli sa valise. Il a _____ sa valise.

2. Il a fait des choses qu'il ne fallait pas faire. Il a fait des _____.

3. Tous les enfants criaient et faisaient beaucoup de _____.

4. Les parents ont _____ le petit enfant parce qu'il n'a pas été sage.

5. Beaucoup d'enfants aiment jouer aux _____. Mais les

   _____ roulent très vite et on peut les perdre facilement.

Quiz 1

Culture

Les jeunes Français et l'actualité

A Complétez. *(20 pts.)*

J'écoute la radio tous les jours, et la _____ que je préfère est
$\quad$₁

NRJ. Le soir, de 19 à 22 heures, j'écoute toujours l'émission d'un

_____ qui s'appelle Dominique. Il est fantastique. Je l'adore!
$\quad$₂

Très souvent il veut savoir ce que ses _____ pensent d'une
$\quad$₃

chanson, d'un chanteur ou d'une chanteuse, ou même de ce qui se passe dans le

monde. Alors, pour savoir notre opinion, il fait régulièrement des

_____. Il nous demande de lui téléphoner et de lui donner
$\quad$₄

notre avis. J'aime écouter de la musique à la radio. Mais pour les

_____, je regarde le journal télévisé. Carine Dumesnil est la
$\quad$₅

_____ de F2. F2 est ma _____ de
$\quad$₆ $\qquad$₇

télévision préférée. Je trouve que sur F2 il y a de très bons

_____ qui analysent les nouvelles d'une manière claire et
$\quad$₈

intéressante. Ils respectent l'intelligence des _____, c'est-à-
$\qquad$₉

dire, les gens qui les regardent fidèlement. Regarder le journal télévisé, c'est un

excellent moyen de se tenir _____.
$\qquad$₁₀

B Choisissez. *(5 pts.)*

1. _____ un hebdomadaire   **a.** un journal publié tous les jours

2. _____ la une   **b.** les nouvelles peu importantes

3. _____ un quotidien   **c.** se tenir informé(e)

4. _____ les faits divers   **d.** la première page d'un journal

5. _____ être au courant   **e.** un magazine publié toutes les semaines

Nom _____ Date _____

Quiz 2

Conversation

Au bureau

Choisissez. *(10 pts.)*

1. Maryse ne se sent pas très bien. Quand on lui demande «Ça va?», elle répond:

   a. «À tout casser.»

   b. «Comme ci, comme ça.»

   c. «Très bien, et toi?»

2. Richard est rentré très tard hier soir et n'a pas bien dormi.

   a. Il va avoir une idée de génie aujourd'hui.

   b. Il va être crevé aujourd'hui.

   c. Il va déjeuner dans un restaurant chinois aujourd'hui.

3. Danielle habite au l6ème étage d'un immeuble de seize étages.

   a. Son appartement est en haut.

   b. Son appartement est en bas.

   c. Elle n'est pas dans son assiette.

4. On a fait un très long voyage en voiture.

   a. Vous couvez quelque chose?

   b. Ce voyage nous a achevés.

   c. On a fait deux kilomètres, à tout casser.

5. J'ai des tickets-restaurant.

   a. Ah bon! Tu veux qu'on aille au restaurant chinois du quartier?

   b. On va faire nos courses à l'hypermarché alors.

   c. Ah bon? Tu veux faire la cuisine?

Nom _____ Date _____

Quiz 3

Langage

Invitations

A Choisissez la réponse que vous donneriez dans les situations suivantes. *(5 pts.)*

Vous voulez refuser l'invitation.

1. Tu es libre ce soir?

 a. Je vais voir...

 b. Désolé(e), mais je suis déjà pris(e).

 c. D'accord.

Vous voulez accepter.

2. On va prendre quelque chose?

 a. Volontiers!

 b. Ça dépend. Qu'est-ce que tu suggères?

 c. Merci, mais je ne peux vraiment pas.

Vous voulez accepter.

3. Ça te dirait d'aller voir Cyrano?

 a. Je ne sais pas encore. Pourquoi?

 b. Je regrette, mais c'est impossible.

 c. Ce serait très sympa.

Vous voulez gagner du temps.

4. Qu'est-ce que tu fais demain?

 a. Désolé(e), mais il faut que je travaille.

 b. Je vais voir...

 c. Rien de spécial. Tu veux qu'on sorte ensemble?

Vous voulez refuser.

5. Allez viens. On va déjeuner. Je t'invite.

 a. Je regrette, mais je ne me sens pas très bien.

 b. Ça dépend. Qu'est-ce que tu suggères?

 c. Avec plaisir!

B Proposez à un(e) ami(e) de faire les choses suivantes. Employez une expression différente pour chaque invitation. *(5 pts.)*

1. d'aller voir un film

 _____

2. d'aller prendre quelque chose au café

 _____

Nom _____ Date _____

Quiz 4

Structure I

L'interrogation

Posez une question qui correspond aux mots en italique. Posez chaque question de deux façons différentes. *(10 pts.)*

1. André va *au Mexique.*

   _____
   _____

2. Il a payé son billet d'avion *550 euros.*

   _____
   _____

3. Vous êtes allé au Mexique avec *André.*

   _____
   _____

4. Vous avez dîné dans *le petit restaurant du coin.*

   _____
   _____

5. André adore la cuisine mexicaine *parce que sa mère est mexicaine.*

   _____
   _____

Nom _____ Date _____

Quiz 5

Structure I

Les expressions négatives

Répondez négativement en employant **ne... jamais, ne... rien, ne... personne,** etc. *(10 pts.)*

1. Tu as acheté quelque chose à l'hypermarché?

_____

2. Tu as rencontré ta copine près de la boulangerie?

_____

3. Tu fais souvent tes courses là-bas?

_____

4. Tu fais quelque chose ce soir?

_____

5. Il y a des magasins près de chez toi?

_____

6. Tu vas encore faire tes courses à l'hypermarché?

_____

7. Tu y as vu Sandrine et Marc?

_____

8. Ils sont toujours ensemble?

_____

9. Ils vont voir leurs copains demain?

_____

10. Tu es déjà allé(e) au supermarché de la rue Mirabel?

_____

CHAPITRE 2

Nom _____ Date _____

Quiz 6

Structure I

L'imparfait

Complétez à l'imparfait. *(20 pts.)*

On _____ 1 _____ (aller) souvent au café après les cours, quand nous

_____ 2 _____ (être) étudiants. On _____ 3 _____ (prendre)

un verre et on _____ 4 _____ (discuter) pendant des heures. Quelquefois

je _____ 5 _____ (manger) un sandwich aussi parce que

j'_____ 6 _____ (avoir) faim. De temps en temps, mes copains

_____ 7 _____ (aimer) lire le journal. Après, nous

_____ 8 _____ (faire) nos devoirs ou nous _____ 9 _____

(flâner) dans les rues. Tous les vendredis je _____ 10 _____ (dîner) avec ma

copine Simone dans un petit restaurant italien pas cher du tout. Souvent on

_____ 11 _____ (finir) la soirée au cinéma. Et toi? Tu

_____ 12 _____ (sortir) souvent avec tes copains? Où est-ce que vous

_____ 13 _____ (aller)? Vous _____ 14 _____ (aimer) dîner au

restaurant? Vous _____ 15 _____ (acheter) quelquefois des vêtements?

J'imagine que vous _____ 16 _____ (être) comme nous: vous

n'_____ 17 _____ (avoir) pas beaucoup d'argent et vous

_____ 18 _____ (préférer) aller dans les boutiques où l'on

_____ 19 _____ (vendre) des vêtements pas chers. Dans certaines

boutiques, les étudiants _____ 20 _____ (pouvoir) montrer leur carte

d'étudiant pour avoir des prix spéciaux.

Quizzes
Copyright © Glencoe/McGraw-Hill

Bon voyage! Level 3, Chapitre 2 ❖ **21**

Nom _____ Date _____

Quiz 7

Journalisme

Les jeunes Français et l'argent

A Corrigez les phrases. *(5 pts.)*

1. Il est nécessaire de se serrer la ceinture quand on a beaucoup d'argent.

   _____

2. Quand on rentre au bercail, on quitte la maison.

   _____

3. Quand on se trouve dans une bonne situation, on veut toujours s'en sortir.

   _____

4. Quand on veut porter ses bouquins au lycée, on les met dans une valise.

   _____

5. On va à la fac après l'école primaire.

   _____

B Complétez. *(5 pts.)*

1. Caroline n'a pas beaucoup d'argent. Alors elle a besoin d'une

   _____ pour faire ses études.

2.–3. Mon frère adore les enfants. C'est pourquoi il veut travailler cet été dans une

   _____. Il veut être _____.

4. Pour être sûr d'avoir encore de l'argent à la fin du mois, il faut

   _____ certaines choses.

5. Les parents aiment leurs enfants. C'est pourquoi ils donnent en général 200

   euros par mois à leur chère _____.

Quiz 8

Journalisme

La France en 1900

A Trouvez les mots qui correspondent. *(5 pts.)*

1. _____ un ramoneur
2. _____ un vitrier
3. _____ un gamin
4. _____ un cocher
5. _____ un allumeur

   a. un réverbère
   b. une casquette
   c. une fenêtre
   d. une cheminée
   e. un fiacre

B Choisissez. *(5 pts.)*

1. On trouve un écriteau _____.
   a. au-dessus d'une boutique
   b. sur le tableau noir
   c. dans une charrette

2. En 1900 on faisait faire ses vêtements chez _____.
   a. le ramoneur
   b. le chiffonnier
   c. le tailleur

3. Cette fille a de longues boucles. Elle a _____.
   a. la croix d'honneur
   b. de l'encre
   c. des anglaises

4. Zut! J'ai cassé _____ de ma chaussure.
   a. le ruban
   b. le lacet
   c. le gamin

5. Mme Cholet était la meilleure _____ de notre école primaire.
   a. contremaîtresse
   b. institutrice
   c. réverbère

Nom _____ Date _____

Quiz 9

Structure II

Les adjectifs

Complétez. *(10 pts.)*

Pierre habite dans un _____ (vieux) immeuble dans la banlieue
1

_____ (parisien). Il a deux _____ (beau)
2   3

chats qu'il aime beaucoup. Un jour sa voisine, qui est _____
4

(gentil) et qui adore les chats, a vu une petite fille de 10 ans jouer dans la cour avec

les chats. La petite fille n'était pas vraiment _____ (cruel) avecc
5

les chats mais elle jouait avec eux d'une manière très _____
6

(agressif). Les chats, qui sont assez _____ (gros), étaient
7

_____ (inquiet) et miaulaient très fort. La voisine était
8

_____ (furieux)! Elle a dit à Pierre: «Je ne veux pas être
9

_____ (indiscret), mais tu devrais parler à cette petite fille. Elle
10

ne sait pas jouer gentiment avec les chats.»

Nom _____ Date _____

Quiz 10

Structure II

Le subjonctif ou l'infinitif

A Récrivez les phrases en utilisant le subjonctif ou l'infinitif. *(5 pts.)*

1. Je voudrais _____ un peu plus d'argent tous les mois. (je / avoir)

   _____

2. Mes parents exigent _____ (je / travailler) pendant les vacances.

   _____

3. Mais moi, j'aimerais _____ (je / chercher) du travail maintenant.

   _____

4. Ma tante souhaite _____ (je / pouvoir) travailler dans sa boutique après les cours.

   _____

5. Elle veut _____ (mes parents / être) moins stricts.

   _____

B Complétez les phrases suivantes avec le sujet indiqué. *(5 pts.)*

1. Il faut aller à la fête ce soir. (tu)

   Il faut _____.

2. Il est préférable d'y aller en métro. (les invités)

   Il est préférable _____.

3. Il est indispensable d'offrir un cadeau à Jean-Luc. (nous)

   Il est indispensable _____.

4. Il faut danser avec tout le monde. (vous)

   Il faut _____.

5. Il ne faut pas rentrer tard. (je)

   Il ne faut pas _____.

Nom _____ Date _____

Quiz 11

Structure II

D'autres verbes au présent du subjonctif

Complétez au subjonctif. *(10 pts.)*

Si tu veux être au courant, il faut que tu _____ (acheter) le
                                                    1

journal tous les jours. Il est important que tu _____
                                                          2

(apprendre) tout ce qui se passe dans le monde. Il ne faut pas que nous

_____ (croire) tout ce que les gens racontent; il vaut mieux que
        3

nous _____ (comprendre) l'actualité. Mon prof d'histoire exige
          4

que ses élèves _____ (recevoir) un quotidien chez eux. L'autre
                      5

jour il nous a dit: «Je voudrais que vous _____ (venir) en classe
                                                  6

informés.» Si nous n'aimons pas la façon dont on présente les infos à la télé, il insiste

pour que nous _____ (appeler) la chaîne. Il veut que nous
                    7

_____ (prendre) l'actualité au sérieux, mais il faut que le prof
        8

_____ (comprendre) que nous n'avons pas toujours le temps
        9

de le faire. J'aimerais qu'il _____ (voir) tous les devoirs que
                                    10

nous avons à faire!

Nom _____ Date _____

Quiz 12

Littérature

La nausée

Complétez chaque phrase avec le mot de la liste qui convient. *(10 pts.)*

au fond	prendre un verre	se rappelle
bonne	s'apercevoir	tablier
faire ses adieux	s'essuient	tendre
marins		

1. Quand je vais au café, j'aime m'asseoir _____ de la salle.

2. Hier on a vu un gros bateau sur la mer avec des

   _____ qui nous saluaient.

3. Il vous connaît, mais il ne _____ pas votre nom.

4. Elle allait faire un long voyage. C'est pourquoi elle est venue nous

   _____ .

5. Ma mère met toujours un _____ quand elle fait la cuisine.

6. Tu viens au café avec moi? On va _____ ensemble.

7. Ils se lavent les mains et puis ils _____ les mains.

8. La famille de ma copine a une _____ qui fait la cuisine et travaille pour la famille.

9. Mon frère est entré dans le café sans _____ que j'étais assise à une table près de la porte.

10. Quand on quitte quelqu'un on doit _____ la main à cette personne et dire «au revoir».

Quiz 13

Littérature

La réclusion solitaire

Choisissez. *(10 pts.)*

1. On se lave les mains dans _____.
   a. une boîte
   b. le plafond
   c. un lavabo

2. Il est utile d'avoir _____ quand on déménage.
   a. une vitre
   b. une épingle à linge
   c. une malle

3. Dans notre lycée, _____ écouter la radio en classe.
   a. il est commode d'
   b. il est interdit d'
   c. il faut

4. Lise voudrait travailler. Elle cherche _____.
   a. du boulot
   b. un chemin
   c. le rapatriement

5. Mon frère jouait au base-ball près de la maison et il a cassé _____.
   a. une corde à linge
   b. une vitre
   c. un mur

6. Tu ne vois rien avec cette lampe. Il faut changer _____.
   a. d'appartement
   b. l'ampoule
   c. la boîte

7. Je n'aime pas la couleur de ce bâtiment. Je vais _____.
   a. le manier
   b. l'égorger
   c. le peindre

8. Cet homme a été en prison. Il a passé quelques mois en _____.
   a. réclusion solitaire
   b. rapatriement
   c. bâtiment

9. Notre salle à manger est grande et _____.
   a. superposée
   b. carrée
   c. rieuse

10. Ils se détestent. Quand ils se voient, ils _____.
    a. s'enferment
    b. se disent bonjour
    c. se disent des injures

Nom _____ Date _____

Quiz 1

Culture

Les loisirs en France

A Qu'est-ce qu'ils font? Écrivez une phrase pour décrire chaque dessin. *(5 pts.)*

1. _____

2. _____

3. _____

4. _____

5. _____

B Exprimez d'une autre façon ce qui est en italique. Écrivez des phrases complètes. *(5 pts.)*

1. *Je veux* écouter de la musique.

   _____

2. Il y a *plus ou moins* trois stations de radio que j'écoute régulièrement.

   _____

3. Le nombre d'auditeurs de ma station préférée *devient de plus en plus grand.*

   _____

4. J'aimerais être présentateur. Voilà *une profession* super!

   _____

5. Après le travail, tout le monde mérite un peu de *relaxation*!

   _____

Nom _____ Date _____

Quiz 2

Conversation

Le théâtre

A Donnez les mots qui sont définis. *(5 pts.)*

1. noble par sa naissance et/ou ses manières _____

2. salle d'un théâtre où les acteurs s'assemblent avant et après le spectacle

   _____

3. aristocrate, femme d'un marquis _____

4. temps qui sépare deux actes dans une représentation théâtrale _____

5. crier très fort _____

B Vrai ou faux? Répondez et corrigez les phrases fausses. *(5 pts.)*

1. Quand une pièce n'a pas beaucoup de succès, elle se joue à bureaux fermés.

   _____

   _____

2. Souvent, quand on est âgé, on a des rides.

   _____

   _____

3. Quand vous avez détesté une pièce, vous dites que la pièce est géniale.

   _____

   _____

4. Quand on hurle de rire, on rit beaucoup.

   _____

5. Quand on a des places à la galerie, on est plus près de la scène que quand on a des places à l'orchestre.

   _____

   _____

Nom _____ Date _____

Quiz 3

Langage

Les goûts et les intérêts;

Les antipathies

A Exprimez d'une autre façon. Écrivez des phrases complètes. *(5 pts.)*

1. J'ai beaucoup aimé ce livre.

   _____

2. Ce film est très amusant.

   _____

3. Elle trouve cette pièce très, très intéressante.

   _____

4. Jacques adore Nathalie. Il est fou de cette fille.

   _____

5. J'ai adoré ce concert. C'était sensationnel!

   _____

B Complétez. *(5 pts.)*

1. —Tu as vraiment détesté ce film?

   —Oui, j'ai trouvé ça _____.

2. —Tu n'aimes pas Robert?

   —Non, je ne peux pas le _____.

3. —Ton cours d'algèbre n'est pas intéressant?

   —Non, il est vraiment _____.

4. —Qu'est-ce que tu penses de cette chanson?

   —Je ne l'aime pas. Elle me _____.

5. —Tu trouves cette pièce sans intérêt?

   —Oui, je ne suis pas _____ de ce genre de théâtre.

Nom _____ Date _____

Quiz 4

Structure I

L'imparfait et le passé composé

A Choisissez. *(5 pts.)*

1. _____, j'allais à la montagne avec ma famille.
   a. L'été dernier
   b. Tous les étés

2. _____ on a vu une pièce géniale.
   a. La semaine dernière
   b. De temps en temps

3. Les élèves ont travaillé jusqu'à minuit _____.
   a. tous les soirs
   b. hier soir

4. _____ mon copain et moi, nous étudiions ensemble.
   a. Une fois
   b. Très souvent

5. Tu as promené ton chien _____.
   a. à midi
   b. tous les jours

B Complétez au passé. *(20 pts.)*

Quand j'étais au lycée, j'_____ (avoir) une copine qui
_____ᵢ

_____ (s'appeler) Lucie. Un jour, elle _____
　　　2　　　　　　　　　　　　　　　　　　　　　　　　　3

(décider) d'aller voir sa grand-mère. Elle _____ (vouloir) lui don-
　　　　　　　　　　　　　　　　　　　　4

ner un bouquet de roses de son jardin. Mais quand elle _____
　　　　　　　　　　　　　　　　　　　　　　　　　5

(sortir) du métro à la place Monge, elle _____ (voir) d'autres
　　　　　　　　　　　　　　　　　　　6

fleurs, qui _____ (être) encore plus belles que les roses de son
　　　　　　　7

jardin. Alors elle _____ (acheter) ces fleurs et elle les
　　　　　　　　　　　8

_____ (offrir) à sa grand-mère. La vieille dame lui
　　　9

_____ (dire): «Merci infiniment, ma chérie, mais tu as oublié que
　　　10

je suis allergique aux fleurs!»

Quiz 5

Structure I

Le comparatif et le superlatif

A Comparez les personnes suivantes en utilisant **plus, moins, aussi** ou **autant**, d'après les indications. *(6 pts.)*

(+)

1. Vanessa / intelligent / Claire

_____

(+)

2. Michel / nage vite / Victor

_____

(—)

3. Je vois / films / Nadine

_____

(—)

4. Antoine /joue bien au tennis / Laurent

_____

(=)

5. Tu sors / souvent / moi

_____

(=)

6. Jacques lit / livres / son prof

_____

B Choisissez. *(4 pts.)*

1. Nous sommes _____ joueurs de l'équipe.
  a. les meilleures
  b. les mieux
  c. les meilleurs

2. C'est elle qui danse _____ de tous.
  a. le mieux
  b. la mieux
  c. la meilleure

3. Vous êtes _____ beau de l'école.
  a. les moins
  b. le plus
  c. les plus

4. C'est Charlotte qui réussit _____ souvent.
  a. le plus
  b. la moins
  c. aussi

CHAPITRE 3

Quiz 6

Journalisme

Les Native

Donnez les mots qui sont définis. *(10 pts.)*

1. un objectif

_____

2. une femme qui joue d'un instrument musical

_____

3. pas toujours mais de temps en temps

_____

4. assez timide

_____

5. un disque sur lequel il y a plusieurs chansons

_____

CHAPITRE 3

Quiz 7

Journalisme

La surfeuse et le coureur

Choisissez. *(10 pts.)*

1. Pour faire du surf, on a besoin _____.

   a. d'un surf-board et de sable

   b. d'une planche de surf et de vagues

   c. d'une planche de surf et d'un rocher

2. On peut trouver de l'eau turquoise _____.

   a. dans le sable

   b. dans une baie

   c. dans une course

3. Un endroit que j'adore, c'est _____.

   a. un joli port de pêcheurs

   b. la course de cross

   c. le vieux pêcheur

4. Le peloton vient de _____ une distance de 9 km.

   a. dépasser

   b. parcourir

   c. parvenir à

5. L'eau tiède _____.

   a. n'est pas assez chaude

   b. est trop froide

   c. n'est ni très chaude ni très froide

6. Le coureur favori _____ sur les autres.

   a. a peiné

   b. l'a emporté

   c. a remporté

7. Ce jour-là, il pleuvait. Il faisait un temps _____.

   a. épouvantable

   b. tiède

   c. magnifique

8. C'est le favori qui a gagné le cross. Il a reçu une médaille en _____.

   a. or

   b. argent

   c. métal

9. J'aime beaucoup ce restaurant. _____ y est sympa.

   a. La vitesse

   b. La nourriture

   c. L'ambiance

10. Il fait du surf depuis longtemps. Il _____ à l'âge de 9 ans.

    a. a décidé

    b. a dépassé

    c. a débuté

Nom _____ Date _____

Quiz 8

Structure II

Le subjonctif après les expressions d'émotion

A Complétez au subjonctif. *(5 pts.)*

1. J'ai peur que ce chien _____ méchant. (être)

2. C'est dommage que vous ne _____ pas avec nous. (venir)

3. Tu regrettes que ton copain ne _____ pas la date de ton anniversaire? (savoir)

4. Je suis vraiment étonné qu'ils _____ au concert sans nous. (aller)

5. Françoise est heureuse que nous _____ l'accompagner. (vouloir)

B Quelle est votre réaction à chacune des situations suivantes? Répondez avec l'expression d'émotion qui convient. *(5 pts.)*

Votre frère a un «A» à l'examen de maths. ⟶
Je suis surpris(e) que mon frère ait un «A» à l'examen de maths.

1. Le prof de français vous téléphone chez vous.

   _____

2. Vos parents ne veulent pas vous prêter leur voiture.

   _____

3. Votre meilleure amie a la grippe.

   _____

4. Vos notes sont toutes excellentes.

   _____

5. Votre ami ne vient pas à votre fête.

   _____

Nom _____ Date _____

Quiz 9

Structure II

Le subjonctif dans les propositions relatives

Complétez. *(10 pts.)*

Ma cousine Élisabeth est directrice d'une grosse société américaine. Voici la conversation que nous avons eue l'autre jour.

Elle: Ma société a besoin de quelqu'un qui _____ le français.
1

(savoir)

Moi: Tu cherches quelqu'un qui _____ parler français? (pouvoir)
2

Eh bien, je connais une personne qui _____,
3

_____ et _____ le français—c'est moi!
4   5

(parler, lire, écrire)

Elle: C'est très bien, mais nous cherchons quelqu'un qui _____ bien
6

plusieurs modèles d'ordinateurs et qui _____ deux ans
7

d'expérience. (connaître, avoir)

Moi: J'_____ une formation en informatique et je
8

_____ faire de la programmation. (avoir, savoir)
9

Elle: Oui, mais nous voulons engager une personne qui _____ libre
10

de voyager. (être)

Moi: Mais j'adore voyager!

Elle: Alors, on t'engage!

Quiz 10

Structure II

Le subjonctif après un superlatif

A Complétez. *(6 pts.)*

1. Il n'y a aucun loisir qui me _____ autant que celui-là. (plaire)

2. C'est la seule langue que tu _____ parler. (savoir)

3. Tu es vraiment la meilleure amie que nous _____. (avoir)

B Répondez aux questions en utilisant le superlatif entre parenthèses. *(4 pts.)*

1. Tu connais cette pièce de Racine? (seul)

   Oui, c'est _____.

2. Il y a quelque chose que nous pouvons vous montrer? (rien)

   Non, _____.

Nom _____ Date _____

Quiz 11

Structure II

Le passé du subjonctif

Commencez chaque phrase par l'expression entre parenthèses. *(10 pts.)*

1. Il est arrivé à l'heure hier. (Je suis contente)

_____

2. Nous avons fait une longue promenade ensemble. (Ils sont surpris)

_____

3. Tu as téléphoné pendant les vacances. (Elle a peur)

_____

4. Le père d'Aurore s'est cassé la jambe. (Vous regrettez)

_____

5. Vous êtes parti sans dire au revoir. (Il est étonné)

_____

6. Elle a vu de jolis paysages. (Ses parents souhaitent)

_____

7. Je suis monté dans la voiture sans mon copain. (Tu crains)

_____

8. Ils ont déjà reçu la lettre. (Il est possible)

_____

9. Leurs profs sont arrivés avant eux. (Les élèves ont peur)

_____

10. Nous sommes allés au gymnase avant les cours. (Le proviseur n'aime pas)

_____

Nom _____ Date _____

Quiz 12

Littérature

Les feuilles mortes

Complétez le paragraphe avec les mots de la liste qui conviennent. *(10 pts.)*

cabaret	chanteuse	feuilles	pas	remerciés
chanson	effacer	fidèles	pelle	souviens

L'automne dernier, je faisais une promenade sur la plage avec mon chien, qui adore

courir sur la plage. Je regardais les _____ que nous faisions dans le
           1

sable et je pensais à un vieil ami avec lequel j'aimais faire des promenades au bord de

la mer. Après notre promenade, mon chien et moi sommes rentrés. Il ne faisait pas

froid, mais il y avait du vent et les _____ tombaient déjà des arbres.
           2

Mon voisin Monsieur Lamotte les ramassait à la _____. Ça m'a fait
           3

penser à une _____ que j'aime beaucoup. J'ai commencé à la
      4

chanter. Monsieur Lamotte m'a dit: «Je me _____ très bien de la
      5

première fois où je l'ai entendue. C'était dans un _____ à Paris. Une
      6

_____ célèbre la chantait. Rien ne peut _____ le
    7   8

souvenir que j'ai gardé d'elle. Nous l'avons applaudie et elle nous a

_____ de lui être _____.»
    9   10

Quiz 1

Culture

L'Union européenne

A Trouvez les mots qui correspondent. *(6 pts.)*

1. _____ la guerre   **a.** l'espace

2. _____ l'acier   **b.** des usines

3. _____ la frontière   **c.** un métal

4. _____ une fusée   **d.** la douane

5. _____ un industriel   **e.** un combustible noir

6. _____ le charbon   **f.** les armes

B Exprimez d'une autre façon ce qui est en italique. Écrivez des phrases complètes. *(4 pts.)*

1. Il ne faut pas *provoquer la peur des* enfants.

_____

2. Quand on va *dans un autre pays que le sien,* on doit passer la frontière.

_____

3. Les Européens peuvent circuler *d'une façon libre* en Europe maintenant.

_____

4. Je me suis blessé l'autre jour, mais *ce n'était pas sérieux.*

_____

Quiz 2

Conversation

Américains et Français

Complétez le paragraphe avec les mots de la liste qui conviennent. *(10 pts.)*

à mi-chemin	facilement	nerveux	prête à	reconnaître
chauvin	frappée	pressée	qu'en-dira-t-on	s'énerve

Ma copine Nicole et moi partons toujours en vacances le premier août. J'habite à l'est

de la ville et Nicole habite à l'ouest, mais c'est un problème que nous avons

_____ résolu. Nous nous rencontrons
1

_____. C'est mon père qui nous conduit à l'aéro-
2

port. Je suis toujours _____ parce que je suis souvent
3

en retard et mon père est très impatient. Il _____
4

facilement et crie toutes les deux minutes: «Allez! Dépêche-toi enfin! Tu vas rater ton

avion!» Quelquefois il crie même dans la voiture, devant ma copine. Nicole est une

personne très calme et elle est toujours _____ par la
5

nervosité de mon père. Elle me dit toujours, après, «Qu'est-ce que ton père est

_____!» C'est très embarrassant pour moi. Je n'aime
6

pas que les autres pensent du mal de mon père. Mais Nicole me dit que je me

préoccupe trop du _____. Je dois
7

_____ que c'est vrai. Elle dit: «Écoute, mon père
8

défend toujours la France à tout prix. Eh bien, je suis

_____ reconnaître qu'il est extrêmement
9

_____. Je ne m'occupe pas de ce que les autres
10

pensent de lui ou de moi. Et tu ne devrais pas le faire non plus!»

CHAPITRE 4

Quiz 3

Langage

Impressions personnelles

A C'est une bonne ou une mauvaise impression? Répondez. *(8 pts.)*

	bonne	mauvaise
1. J'ai été vraiment emballé(e) par ce film.	_____	_____
2. Il a été vraiment déçu par ce livre.	_____	_____
3. Nous nous attendions à quelque chose de plus amusant que ça.	_____	_____
4. Véronique a été enthousiasmée par cette exposition.	_____	_____

B Complétez le dialogue avec les mots ou expressions de la liste qui conviennent. *(12 pts.)*

Enfin moi, finalement	Tu as raison
Je trouve	Tu exagères
Pour moi	Vous avez tort

Annie: J'adore ce tableau. _____ qu'il est vraiment très
  1
beau.

Paul: Pas moi. _____, ce tableau est trop sentimental.
  2

Laure: _____, Paul. Ce tableau est une horreur!
  3

Annie: Mais non. _____ tous les deux! Ce tableau est une
  4

vraie merveille! Il est évident que vous êtes incapables de juger des œuvres

d'art.

Paul: Voyons, Annie! _____ ! Nous sommes tout aussi
  5

capables que toi de juger ce tableau. Ce n'est peut-être pas une horreur, mais

ce n'est pas une merveille non plus. _____, je pense
  6

qu'il est intéressant... même s'il est trop sentimental.

Nom _____ Date _____

Quiz 4

Structure I

Les prépositions avec des noms géographiques

A Où vont-ils? Complétez. *(12 pts.)*

1. Mélanie va _____ Maroc.

2. Serge et Laurent vont _____ Tokyo.

3. Mon frère part _____ Israël.

4. Les Smith vont habiter _____ Texas.

5. Tu vas partir la semaine prochaine _____ Asie.

6. Mme Rochas va passer ses vacances _____ Pays-Bas.

B D'où reviennent-ils? Complétez. *(8 pts.)*

1. Pierre revient _____ États-Unis.

2. Marie-Christine revient _____ Havre.

3. Je reviens _____ Italie.

4. Ils reviennent _____ Mexique demain.

Nom _____ Date _____

Quiz 5

Structure I

Le pronom y

A Récrivez les phrases en remplaçant les mots en italique par **y** (ou par un autre pronom, si nécessaire). *(10 pts.)*

1. Ma copine est allée *en Égypte*.

   _____

2. Elle s'intéresse *à l'archéologie*.

   _____

3. À Gizeh, elle a vu *les pyramides*.

   _____

4. Elle a obéi *à toutes les lois égyptiennes*.

   _____

5. J'ai répondu *à la lettre qu'elle m'a envoyée*.

   _____

B Répondez aux questions en utilisant des pronoms. *(10 pts.)*

1. Alain a répondu à la question du prof?

   Oui, _____.

2. Tu as téléphoné à tes parents?

   Non, _____.

3. Sylvie t'a retrouvé au café?

   Oui, _____.

4. Elle va au Québec avec Georges?

   Non, _____.

5. Il veut la conduire à l'aéroport?

   Oui, _____.

Nom _____ Date _____

Quiz 6

Structure I

Le futur

A Complétez au futur. *(10 pts.)*

Dans cinq ans, le monde _____ (être) bien différent de ce
                                    1

qu'il est maintenant. Les Américains et les Français _____
                                                                  2

(pouvoir) communiquer beaucoup plus facilement. Nous

_____ (se parler) très souvent parce que nous
           3

_____ (se servir) de nos ordinateurs. Je suis sûr que tout le
           4

monde _____ (avoir) au moins un ordinateur (ou même
                5

deux) chez soi. Je _____ (s'asseoir) devant mon ordinateur et
                             6

j'_____ (envoyer) des messages à mes amis français. Eux, ils
         7

_____ (regarder) l'écran de leur ordinateur tous les jours
           8

pour lire mes messages et puis ils me _____ (répondre). Je
                                                      9

_____ (faire) un effort pour leur écrire en français.
          10

B Récrivez les phrases au futur. *(10 pts.)*

1. Vous connaissez bien cette ville.

   _____

2. Ma mère m'appelle au téléphone.

   _____

3. Tu ne veux pas rester ici.

   _____

4. Vous savez les résultats, n'est-ce pas?

   _____

5. Il faut se dépêcher.

   _____

Nom _____ Date _____

Quiz 7

Journalisme

L'écologie

A Complétez. *(14 pts.)*

1. Le fer et le plomb sont des _____ .

2. Quand on ne peut pas respirer, on a des troubles de l'appareil

   _____ .

3. Quand on a une mauvaise circulation du _____ , on a des troubles de l'appareil circulatoire.

4. Dans une voiture, les _____ passent par le pot d'échappement.

5. Les pluies acides sont _____ pour l'environnement.

6. L' _____ est un gaz incolore et inodore.

7. La _____ est belle aujourd'hui. Tu veux faire du ski?

B Choisissez. *(6 pts.)*

1. Les effets nocifs d'une substance _____ .
   - **a.** sont bons
   - **b.** sont néfastes
   - **c.** doivent être conservés

2. Le fer est très utilisé dans _____ .
   - **a.** l'appareil respiratoire
   - **b.** l'industrie
   - **c.** la pluie

3. Le (L') _____ résulte de la combinaison du carbone avec l'oxygène.
   - **a.** sang
   - **b.** azote
   - **c.** gaz carbonique

Nom _____ Date _____

Quiz 8

Journalisme

La protection des animaux

A Identifiez. *(6 pts.)*

1. _____ 2. _____ 3. _____

B Choisissez le contraire. *(4 pts.)*

1. _____ sûr   **a.** le courage

2. _____ la crainte   **b.** se déshabiller

3. _____ se vêtir   **c.** dangereux

4. _____ échapper   **d.** pourchasser

C Vrai ou faux? Répondez. *(10 pts.)*

	vrai	faux
1. Les bouquetins broutent dans la mer.	_____	_____
2. L'ours blanc a une fourrure brune.	_____	_____
3. Les végétariens mangent la chair des animaux.	_____	_____
4. Il est interdit d'aller à la chasse dans une réserve.	_____	_____
5. On chasse le loup pour ses cornes.	_____	_____

Nom _____ Date _____

Quiz 9

Journalisme

Les Touaregs

A Exprimez d'une autre façon ce qui est en italique. Écrivez des phrases complètes. *(10 pts.)*

1. *Un homme qui travaille le fer* a fait ce couteau.

   _____

2. Tout le monde est marié ici: il n'y a pas beaucoup *de jeunes gens qui ne sont pas mariés.*

   _____

3. *Ces animaux qui vivent dans le désert et qui peuvent aller longtemps sans boire* sont curieux.

   _____

4. Dans ce pays il y a souvent *une longue période de temps où il ne pleut pas du tout.*

   _____

5. Hier soir j'ai vu cet homme au restaurant. Il y *mangeait avec plaisir* un couscous.

   _____

B Complétez le paragraphe avec les mots de la liste qui conviennent. *(10 pts.)*

bienfaisante	chèvres	natte	pâturage	tente
célibataire	découvert	pasteur	puits	veille

L'autre jour, au _____ du village, j'ai fait la connaissance de Hassan, un
                          1

jeune homme qui puisait de l'eau pour les animaux. Hassan est _____,
                                                                        2

c'est-à-dire qu'il a un troupeau de _____ qu'il mène tous les jours au
                                           3

_____. Avec son chien, il _____ sur son troupeau. Hassan
        4   5

est _____ et pense à se marier. La fille qu'il aime, comme toutes les
         6

femmes touarègues, ne porte pas le voile et a le visage _____. Une fois,
                                                                  7

Hassan l'a vue devant la _____ où elle habite avec sa famille. Elle était
                                8

assise sur une _____ et buvait du thé. Comme il faisait très chaud et sec,
                      9

Hassan et la fille étaient heureux de voir la pluie _____ qui est tombée
                                                            10

ce jour-là. Je suis certaine que ces jeunes gens vont se marier bientôt.

Quiz 10

Structure II

Le futur antérieur

A Répondez d'après le modèle. *(5 pts.)*

J'irai à Paris en juin. (mes amis / partir) →
Mais mes amis seront déjà partis.

1. Tu rentreras à huit heures ce soir. (ton frère / faire ses devoirs)

   _____

2. Jean-Pierre viendra nous voir demain. (nous / quitter Paris)

   _____

3. Vos amis iront au concert samedi. (vous / se voir vendredi)

   _____

4. Je dînerai dans un restaurant chinois. (tu / finir de dîner)

   _____

5. Nous téléphonerons dès que nous arriverons. (Nos copains / aller se coucher)

   _____

B Complétez au futur antérieur. *(5 pts.)*

Dans quelques mois, quand l'année scolaire se terminera, ...

1. j'_____ tous mes examens. (passer)

2. nos profs _____ tous les examens. (corriger)

3. mes copains et moi _____ au revoir à nos profs. (dire)

4. tout le monde _____ des projets pour l'été. (faire)

5. les élèves _____ cent fois pour savoir ce que tout le monde va faire. (se téléphoner)

Nom _____ Date _____

Quiz 11

Structure II

Le futur et le futur antérieur avec **quand**

A Faites des phrases avec les éléments donnés. Utilisez le futur. *(4 pts.)*

1. Vous / envoyer la lettre / quand / vous / savoir l'adresse

_____

2. Dès que / le serveur / arriver / nous / commander des boissons

_____

B Complétez au futur antérieur. Suivez le modèle. *(6 pts.)*

Marianne paiera quand (sa mère / lui donner de l'argent) →
Marianne paiera quand sa mère lui aura donné de l'argent.

1. Les enfants joueront dans le jardin (dès que / leurs cousins / partir)

_____

2. Tu pourras partir en vacances (aussitôt que / tu / passer tes examens)

_____

3. Les bouquetins seront en danger (lorsque / les loups / les voir)

_____

Quiz 12

Structure II

Le présent et l'imparfait avec **depuis**

Choisissez. *(10 pts.)*

1. Nous nous _____ depuis trois ans. (sommes connus / connaissons)

2. Il y a deux jours que Gabrielle _____ ici. (est / était)

3. Ça _____ combien de temps que Paul connaissait Marie quand ils se sont mariés? (fait / faisait)

4. Françoise travaille ici _____ 1990. (en / depuis)

5. Ma cousine habitait en France depuis six semaines quand elle

   _____ malade. (tombait / est tombée)

6. Voilà trois ans que nous _____ du français. (avons fait / faisons)

7. Il y _____ une heure que Jean-Pierre étudiait quand son copain est arrivé. (avait / a)

8. Ma mère _____ depuis longtemps qu'elle allait faire un gâteau au chocolat, mais hier elle a décidé de faire une tarte aux pommes! (a dit / disait)

9. Depuis combien de temps _____ -vous dans cette ville quand votre amie y est venue? (habitiez / habitez)

10. Les enfants _____ depuis trois heures lorsque le téléphone les a réveillés. (dorment / dormaient)

Nom _____ Date _____

Quiz 13

Littérature

Gens du Pays

A Identifiez. *(10 pts.)*

1. _____

2. _____

3. _____

4. _____

5. _____

B Choisissez. *(10 pts.)*

1. Quand Jean lui dit qu'il l'aime, Monique _____.
   a. lui donne des fleurs
   b. lui répond: «Bonne Année!»
   c. le laisse faire

2. Julie a dit à Marc qu'il n'y avait pas _____: elle ne l'aimerait jamais.
   a. d'amour
   b. d'espoir
   c. de vœux

3. Narcisse _____ dans l'eau. Il adore son propre reflet.
   a. se parle
   b. fond
   c. se mire

4. Je t'aime, je t'adore, j'ai beaucoup _____ pour toi!
   a. d'amour
   b. d'amis
   c. d'espoir

5. Quand le soleil brille, la neige _____.
   a. sème
   b. flâne
   c. fond

Quiz 14

Littérature

La dernière classe

A Complétez le paragraphe avec les mots de la liste qui conviennent. *(10 pts.)*

affiche	chapeau	écriture	étouffé	maître d'école
banc	coups de règle	épeler	habit	punir

Ce matin le _____ est venu en classe habillé d'une manière
                     1

bizarre. Il avait un _____ blanc sur la tête et il portait un
                            2

_____ noir. Sur le mur de notre salle de classe, il y a une
        3

_____ qui montre un clown habillé de la même manière.
        4

Mon camarade, qui était assis sur le _____ à côté de moi, a
                                             5

commencé à rire. Il a pratiquement _____ parce qu'il ne
                                           6

pouvait pas s'arrêter de rire! Le maître l'a entendu et il a donné des

_____ sur son bureau. Puis il a dit: «Je regrette, mais je suis
        7

obligé de te _____. Je vais te dicter 25 mots et tu vas les
                    8

_____. Ensuite, comme tu as une belle
        9

_____, tu vas les écrire au tableau!»
        10

B Choisissez le contraire. *(5 pts.)*

1. _____ plein   **a.** en colère

2. _____ énergique   **b.** vide

3. _____ répondre   **c.** épuisé(e)

4. _____ rendre quelqu'un heureux   **d.** interroger

5. _____ calme   **e.** faire de la peine à quelqu'un

Nom _____ Date _____

Quiz 1

Culture

Les faits divers

A Complétez. *(10 pts.)*

1. On roulait sur une petite route loin de la ville. On était en

   _____ campagne.

2. Il y a beaucoup de circulation: nous arrivons à une

   _____ .

3. Ici c'est la loi: les motocyclistes doivent porter le _____.

4. J'ai garé ma voiture, mais j'ai oublié de mettre des pièces dans le

   _____ .

5. Hier, quelqu'un a cassé une _____ de la fenêtre.

6. Cette personne est entrée par _____ .

7. On appelle celui qui commet cette sorte de crime un

   _____ .

8. L'année dernière un _____ a volé mon sac et tout mon
   argent.

9. Le _____ de mon argent m'a vraiment choquée.

10. On a retrouvé mon sac, mais il était tout _____ . Je ne
    pouvais plus m'en servir.

B Choisissez le contraire. *(10 pts.)*

1. _____ la baisse   **a.** réparer

2. _____ grave   **b.** pas sérieux

3. _____ périlleux   **c.** la hausse

4. _____ l'actualité   **d.** sûr, pas dangereux

5. _____ endommager   **e.** le passé

Nom _____ Date _____

Quiz 2

Conversation

Au voleur!

A Faites des phrases originales en utilisant chacun des mots suivants. *(5 pts.)*

1. un pickpocket

_____

2. le complice

_____

3. la victime

_____

4. Au voleur!

_____

5. le commissariat

_____

B Choisissez. *(5 pts.)*

1. Un truc, c'est ce qu'on fait pour _____ quelqu'un.
   a. aider
   b. duper
   c. arrêter

2. Je lisais le journal et _____ qu'un pickpocket prenait mon portefeuille.
   a. je ne me suis pas rendu compte
   b. je suis certain
   c. je souhaitais

3. On t'a volé ton portefeuille? Tu _____?
   a. vas t'en rendre compte
   b. t'en veux
   c. vas déclarer le vol

4. Quelqu'un m'a poussé parce qu'il voulait _____.
   a. dépasser
   b. avancer
   c. arrêter

5. Les voleurs espèrent _____ des gens.
   a. détourner l'attention
   b. attirer l'attention
   c. prendre la tension

CHAPITRE 5

Quiz 3

Langage

D'accord ou pas

Voici les opinions de M. Quisaitout. Vous êtes d'accord ou pas? Répondez en utilisant une expression différente dans chaque phrase. *(10 pts.)*

1. Le sport le plus populaire aux États-Unis, c'est le foot.

_____

2. La meilleure glace, c'est la glace au chocolat.

_____

3. Je suis pour la suppression de la peine de mort.

_____

4. Il fait beau. Il faut aller à la plage!

_____

5. Il est préférable de vivre à la campagne.

_____

Nom _____ Date _____

Quiz 4

Langage

Oui, non, peut-être

Répondez d'après les indications. *(10 pts.)*

1. Sylvie Dutronc est la plus belle fille du lycée. (Vous êtes d'accord.)

_____

2. La semaine prochaine, il y aura un examen de français. (Vous n'êtes pas d'accord.)

_____

3. Il va pleuvoir cet après-midi. (Vous ne savez pas.)

_____

4. Je vous téléphonerai ce soir. (Vous êtes d'accord.)

_____

5. Tu peux me prêter ta voiture? (Vous n'êtes pas d'accord.)

_____

6. Hélène va t'inviter à la fête? (Vous ne savez pas.)

_____

7. Le prof est sympa. (Vous êtes d'accord.)

_____

8. Tu veux aller au cinéma avant l'examen? (Vous n'êtes pas d'accord.)

_____

9. Notre équipe est meilleure que leur équipe. (Vous ne savez pas.)

_____

10. Ce rouge à lèvres est trop rouge. (Vous êtes d'accord.)

_____

Quiz 5

Langage

Savoir converser

Complétez la conversation avec les mots ou expressions de la liste qui conviennent. *(10 pts.)*

À propos	Dis donc
Ça me fait penser	Moi, je trouve
Dis	

Hervé: _____, Julie, tu sais qu'il y a une fête chez
          ↑1

Claude demain soir?

Julie: Oui, et j'y vais avec mes copines. Tu y vas aussi?

Hervé: Non. Claude ne m'a pas invité. Il n'est pas très sympa, il dit toujours des

choses méchantes...

Julie: _____ qu'il est très sympa. Et il joue bien au
          ↑2

tennis...

Hervé: _____ que vendredi prochain il y a un match
          ↑3

de tennis. Tu veux y aller avec moi?

Julie: D'accord... _____, Hervé, tu peux me prêter
                      ↑4

deux euros? J'ai oublié de prendre mon portefeuille et je dois donner un coup

de fil à ma copine.

Hervé: Dix francs? Pas de problème... _____, tu me
                                        ↑5

dois 20 euros—je te les ai prêtés la semaine dernière, tu te rappelles?

Nom _____ Date _____

Quiz 6

Structure I

Les pronoms compléments directs et indirects

A Répondez en utilisant un pronom. *(5 pts.)*

1. Tu prends la voiture?

   Oui, _____.

2. Tu invites ta copine?

   Oui, _____.

3. Robert va vous accompagner?

   Oui, _____.

4. Tu téléphones aussi à Béatrice?

   Oui, _____.

5. Tu vas parler à ses parents?

   Non, _____.

B Récrivez chaque phrase en remplaçant les mots en italique par un pronom. *(5 pts.)*

1. La fille a vu *l'incendie.*

   _____

2. Elle a appelé *les pompiers* tout de suite.

   _____

3. Elle a téléphoné *aux pompiers* d'une cabine téléphonique.

   _____

4. Les pompiers ont demandé *à la fille* où était le feu.

   _____

5. Plus tard, ils ont remercié *la fille.*

   _____

Nom _____ Date _____

Quiz 7

Structure I

Deux pronoms compléments ensemble

A Récrivez chaque phrase en remplaçant les mots en italique par des pronoms. *(10 pts.)*

1. Les voleurs ont demandé *son portefeuille au touriste.*

   _____

2. Le touriste a donné *son portefeuille et ses cartes de crédit aux voleurs.*

   _____

3. Les voleurs n'ont pas rendu *ses cartes de crédit au touriste.*

   _____

4. Au commissariat, le touriste a déclaré *le vol à l'agent de police.*

   _____

5. Le touriste a montré *sa carte d'identité à l'agent.*

   _____

B Complétez. *(10 pts.)*

Carine: Tiens, Lise, est-ce que Philippe t'a donné les disques que tu voulais

pour ton anniversaire?

Lise: Non, il ne _____1_____ _____2_____ a pas donnés. Mais il m'a offert

le petit chien noir que j'avais admiré la semaine dernière chez sa tante.

Carine: Le petit cocker adorable?! Il _____3_____ _____4_____ a offert?

Lise: Mais oui! Et il a prêté sa voiture de sport à mes frères.

Carine: C'est vrai?! Il _____5_____ _____6_____ a prêtée? Il est généreux, ce

type! Dis donc, Jean et moi avons besoin de deux billets pour le con-

cert demain soir...

Lise: Vous voulez aller au concert? Mais c'est génial! Philippe et moi avons

des billets, mais nous n'avons pas envie d'y aller. Nous pouvons

_____7_____ _____8_____ vendre, si vous voulez.

Carine: Je suis sûre que Philippe le Généreux _____9_____ _____10_____ offrira!

Nom _____ Date _____

Quiz 8

Structure I

Les pronoms compléments avec l'impératif

A Complétez. *(5 pts.)*

1. —Marilynne est arrivée.

   —Dis-_____ que je serai là dans deux minutes.

2. —Tu veux du lait?

   —Non, merci. Donne-_____ du jus d'orange, s'il te plaît.

3. —Jacqueline a téléphoné à nos copains?

   —Non, elle n'a pas eu le temps. Téléphone-_____ toi-même.

4. —Nous voulons attendre les garçons ici.

   —D'accord. Attendez-_____ devant le guichet.

5. —Je voudrais te lire la lettre que j'ai écrite.

   —Si tu veux. Mais lis-_____ vite.

B Répondez avec l'impératif en remplaçant les mots en italique par des pronoms. *(5 pts.)*

1. Je voudrais donner *ce gâteau aux chevaux.*

   Mais non! _____

2. Je voudrais offrir ces *roses à ma mère.*

   C'est bien. _____

3. Je voudrais envoyer *ce poème à mon prof d'anglais.*

   Bonne idée! _____

4. Nous voudrions vendre *notre voiture à ton amie.*

   Non! _____

5. Nous voudrions écrire *cette carte postale à François.*

   D'accord. _____

Nom _____ Date _____

Quiz 9

Journalisme

La manchette

Choisissez. *(10 pts.)*

1. S'il fait trop chaud au soleil, il faut _____.
   a. se mettre à la une d'un journal
   b. se mettre à l'ombre
   c. être coincé entre deux maisons

2. La guerre et la famine sont _____.
   a. les gros titres
   b. a manchette
   c. des fléaux

3. On _____ dans un marathon.
   a. court
   b. craint
   c. coince

4. Tu as vu _____ du journal aujourd'hui?
   a. le titre
   b. a manchette
   c. les manches

5. Quand il n'y a pas assez de _____, il y a chômage.
   a. soleil
   b. coureurs
   c. travail

6. Le pauvre piéton a été _____ entre deux voitures.
   a. coincé
   b. avancé
   c. détourné

7. Le père d'Alain sait conduire _____.
   a. un fléau
   b. un camion
   c. à la une

8. Ce chien est gentil. Il n'y a rien à _____.
   a. croire
   b. manger
   c. craindre

9. «Le chômage augmente»: voilà _____ que j'ai vu à la une.
   a. un gros titre
   b. un truc
   c. un chiffre

10. Si ces deux pays ne se mettent pas d'accord, il y aura _____.
    a. de l'ombre
    b. la guerre
    c. un marathon

Nom _____ Date _____

Quiz 10

Journalisme

À la rubrique «Faits divers»

A Vrai ou faux? Répondez. *(5 pts.)*

1. Un autre mot pour «avion» est «appareil». _____

2. Un sauveteur est quelqu'un qui pilote un avion. _____

3. Quand il y a eu un accident, on appelle les secours. _____

4. Les blessés transportent les sauveteurs. _____

5. Une baleine est plus grosse qu'un chaton. _____

B Choisissez le contraire. *(4 pts.)*

1. _____ un survivant
2. _____ une fillette
3. _____ localiser
4. _____ se précipiter

a. un garçonnet
b. un mort
c. perdre
d. prendre son temps

C Complétez le paragraphe avec les mots de la liste qui conviennent. *(16 pts.)*

chatte	écrasée	mal	paillasson
commune	franchi	natale	rescapés

Mon ami Yves Gagnère habite au Québec dans une petite _____
1

rurale. Il paraît que c'est la ville _____ d'un chanteur célèbre dont
2

j'oublie le nom. (J'ai souvent du _____ à me souvenir des noms.)
3

L'autre jour, j'ai _____ la frontière entre les USA et le Canada pour
4

aller rendre visite à Yves. Il y avait un bouchon énorme sur la route. Une voiture

s'était _____ contre un arbre. On avait appelé les secours, qui
5

aidaient déjà les _____. J'ai téléphoné à mon ami pour lui dire que je
6

serais en retard. Il m'a dit: «Il faut que je sorte pour donner à manger à la

_____ de mon copain qui est parti en vacances. Mais je mettrai la clé
7

sous le _____. Comme ça, tu pourras entrer si tu arrives avant que
8

je sois de retour.»

Quiz 11

Structure II

Le passé simple des verbes réguliers

Complétez au passé simple. *(10 pts.)*

1. M. Laforge _____ à midi et demi. (déjeuner)

2. Les fillettes _____ dans l'école. (entrer)

3. Thérèse _____ avec ses copines. (sortir)

4. Mon frère n'_____ pas le bus. (attendre)

5. Les élèves ne _____ pas bien. (se sentir)

6. Pierre _____ la fenêtre. (ouvrir)

7. Marie et Jacques _____ le pain. (rompre)

8. Mes parents _____ à six heures. (se lever)

9. Le prof _____ la leçon. (commencer)

10. Les marchands _____ des fruits et des légumes.
    (vendre)

Nom _____ Date _____

Quiz 12

Structure II

Le passé simple des verbes irréguliers

Mettez au passé simple. *(10 pts.)*

1. L'accident a eu lieu le 17 janvier.

_____

2. On a dû appeler les secours.

_____

3. Ils sont venus immédiatement.

_____

4. Ils ont su dégager les blessés.

_____

5. Mais le conducteur de la voiture est mort dans l'accident.

_____

6. Les rescapés se sont assis sur le bord de la route.

_____

7. Ils ont reçu des soins médicaux.

_____

8. On leur a fait boire.

_____

9. Ils ont bu de l'eau et du café.

_____

10. Un agent de police a pris des notes sur l'accident.

_____

Quiz 13

Structure II

Le subjonctif après les conjonctions

A Complétez. *(6 pts.)*

1. Je viendrai à moins qu'il ne _____ froid. (faire)

2. Nous te téléphonerons avant que tu ne _____. (partir)

3. Il vous indiquera le chemin de façon que vous _____ comprendre. (pouvoir)

4. Elle nous donne de l'argent pour que nous _____ de beaux vêtements. (acheter)

5. Jérémie ira en Espagne pourvu que ses notes _____ assez bonnes. (être)

6. Appelez les secours afin qu'ils _____ vite aider les blessés. (venir)

B Choisissez. *(4 pts.)*

1. Claire restera ici _____ le soleil se couche.

   a. jusqu'à ce que

   b. pour que

   c. de manière que

2. Je partirai en vacances _____ je n'en aie pas envie.

   a. pourvu que

   b. bien que

   c. jusqu'à ce que

3. Il ne quitte pas sa chambre _____ le cambrioleur le voie.

   a. de sorte que

   b. à moins que

   c. de peur que

4. Le fermier ne rentre pas le soir _____ les vaches soient dans l'étable.

   a. sans que

   b. de manière que

   c. de crainte que

CHAPITRE 5

Nom _____ Date _____

Quiz 14

Littérature

Les misérables

A Donnez les mots qui sont définis. *(10 pts.)*

1. ce qui est contraire à la vertu, au bien _____

2. s'échapper, se retirer rapidement _____

3. l'action de ne pas parler très fort _____

4. prendre la propriété de quelqu'un d'autre _____

5. être la propriété de quelqu'un _____

B Trouvez les mots qui sont associés. *(10 pts.)*

1. _____ un forçat   **a.** un placard

2. _____ une serrure   **b.** une cheminée

3. _____ des couverts   **c.** l'argenterie

4. _____ du feu   **d.** une clé

5. _____ l'église   **e.** le bagne

6. _____ le jour   **f.** un évêque

7. _____ la nuit   **g.** le soleil

8. _____ un lit   **h.** le chevet

9. _____ des vêtements   **i.** un chandelier

10. _____ une bougie   **j.** la lune

C Complétez. *(5 pts.)*

1. Le voleur court dans le jardin et _____ le mur.

2. Le cheval _____ par-dessus le mur.

3. Après le déjeuner, la famille Debussy _____ dans le jardin du Luxembourg.

4. La petite Claire _____ pour ramasser des fleurs.

5. Je n'aime pas du tout le _____ du thé. Je préfère celui du café.

Nom _____ Date _____

Quiz 1

Culture

Adultes/jeunes

Complétez le paragraphe avec les mots de la liste qui conviennent. *(10 pts.)*

bonne conduite	**interdit**	**mentent**
cote	**mauvaise conduite**	**nouent**
exigence	**mensonge**	**patrie**
foi		

Ce sont toujours les élèves sympa qui ont la _____ au
1

lycée. Ce sont eux qui poussent les autres élèves à une plus grande

_____ sociale. Les élèves populaires sont généralement
2

sincères; ils _____ rarement. Ils détestent le
3

_____. Ils _____
4   5

facilement des relations parce qu'ils sont gentils. Observez-les au lycée et vous verrez

qu'ils respectent les codes de _____. Ils n'aiment pas
6

passer leur temps avec les élèves qui ont une _____.
7

Ça ne les intéresse pas de faire ce qui est _____.
8

La politesse, l'honnêteté, la tolérance sont les valeurs mises en pratique par les élèves

populaires. Certains de ces élèves sont religieux ou patriotiques: ils ont la

_____ et l'amour de la
9

_____.
10

Nom _____ Date _____

Quiz 2

Conversation

Vivre en famille

Exprimez d'une autre façon ce qui est en italique. Écrivez des phrases complètes.
(10 pts.)

1. Aimez-vous faire *la vaisselle, la cuisine, la lessive, etc.*?

   _____

2. La seule chose que j'aime, c'est *acheter des fruits, des légumes, de la viande, etc.* tous les jours.

   _____

3. Chez nous on *distribue* ce qui doit être fait chaque jour.

   _____

4. Mais ma sœur trouve que nous ne le faisons pas *avec justice.*

   _____

5. Elle adore *protester.*

   _____

6. Elle *se fâche* parce que, d'après elle, les garçons ne travaillent pas assez.

   _____

7. Mais je lui dis que ce n'est pas vrai. Nous l'aidons toujours à la maison. Nous *travaillons.*

   _____

8. L'autre jour elle a *fait une scène* incroyable!

   _____

9. Je lui ai dit: «Écoute, *ce n'est pas difficile.* Engageons quelqu'un pour faire le travail.»

   _____

10. Mais elle a répondu: «Non, non et non! Ce serait *dépenser inutilement* de l'argent!»

    _____

Nom _____ Date _____

Quiz 3

Langage

Félicitations et condoléances

A Choisissez l'expression de la liste ci-dessous qui correspond à la circonstance. *(5 pts.)*

1. _____ Votre prof vient d'avoir un enfant que vous voyez pour la première fois.

2. _____ Le père de l'amie de votre mère vient de mourir.

3. _____ C'est l'anniversaire d'un ami.

4. _____ Vos amis viennent de se marier.

5. _____ C'est le nouvel an. Vous envoyez une carte de vœux à des amis de vos parents.

a. «Tous mes vœux.»

b. «Je vous souhaite d'être très heureux.»

c. «Comme il est mignon!»

d. «Mes meilleurs vœux pour vous et les vôtres.»

e. «J'ai beaucoup de peine pour toi.»

B Pour chaque circonstance, donnez l'expression qui convient. N'utilisez pas les mêmes expressions que ci-dessus. *(5 pts.)*

1. la naissance d'un bébé

_____

2. un mariage

_____

3. un anniversaire

_____

4. Noël

_____

5. un décès

_____

Quiz 4

Structure I

Le partitif

Complétez le paragraphe. *(10 pts.)*

Tu as vu ce que Marc nous a envoyé de Normandie? Ce sont _____
1

pommes! Chez nous, à Paris, on adorait _____ pommes. Ici, en
2

Espagne, on mange beaucoup _____ fruits, mais il n'y a pas souvent
3

_____ pommes normandes chez les marchands de fruits et légumes.
4

On vend _____ oranges espagnoles, qui sont délicieuses, mais Maryse
5

et moi, nous ne voulons pas _____ oranges tous les jours. Maintenant
6

nous pourrons boire _____ jus de pomme et manger
7

_____ tarte aux pommes! Nous avons _____ amis
8   9

espagnols que nous allons inviter à dîner chez nous. Nous ne parlons pas bien leur

langue, mais ils sont très indulgents envers nous. Ils ont _____
10

patience!

Nom _____ Date _____

Quiz 5

Structure I

Le pronom **en**

Remplacez les mots en italique par le pronom qui convient. Écrivez des phrases complètes. *(10 pts.)*

1. Je vois souvent *des films étrangers.*

   _____

2. Mes copains et moi aimons parler *de ces films.*

   _____

3. J'ai beaucoup *de copains* qui sont fanas de cinéma.

   _____

4. Nous avons vu plusieurs *films américains* l'année dernière.

   _____

5. Mon copain Denis n'a pas besoin *de sous-titres* pour comprendre.

   _____

6. Il parle souvent *de son acteur américain préféré.*

   _____

7. Il a vu beaucoup *de ses films.*

   _____

8. Il nous a recommandé trois *de ces films.*

   _____

9. Tu aimes voir *des films étrangers*?

   _____

10. Tu ne m'as jamais parlé *de tes loisirs.*

    _____

Nom _____ Date _____

Quiz 6

Structure I

Les pronoms relatifs **qui** et **que**

A Complétez. *(5 pts.)*

1. Les filles _____ habitent dans cet immeuble sont mes amies.

2. Ce sont les amies _____ je préfère.

3. J'ai d'autres amies _____ sont sympa, mais les filles de l'immeuble sont plus amusantes.

4. Elles savent toujours _____ se passe dans le quartier.

5. Elles me disent toujours _____ elles ont découvert.

B Combinez les deux phrases en une seule en utilisant **qui** ou **que**. *(5 pts.)*

1. Patricia est une fille. Elle chante bien.

   _____

2. Elle a écrit des chansons. Elle aime les chanter pour ses amis.

   _____

3. On a présenté Patricia à un producteur. Il lui a demandé de faire un disque.

   _____

4. J'ai entendu à la radio une belle chanson. Patricia chantait cette chanson.

   _____

5. Mes parents viennent de m'acheter l'album. Patricia a enregistré cet album.

   _____

Quiz 7

Structure 1

Le pronom relatif **dont**

A Combinez les deux phrases en une seule en utilisant **dont.** *(5 pts.)*

1. Tu connais la femme. Son mari est joueur de foot.

_____

2. J'adore deux ou trois auteurs. Les livres de ces auteurs sont comiques.

_____

3. Sophie a rencontré une vedette. Elle a oublié le nom de cette vedette.

_____

4. Mireille veut voir un film. Le titre de ce film l'intéresse.

_____

5. C'est un prof très sympa. Nous admirons l'intelligence de ce prof.

_____

B Complétez avec **qui, que** ou **dont.** *(5 pts.)*

Jacques est le garçon _____ je t'ai parlé hier. C'est lui _____ nous
　　　　　　　　　　　　　　1　　　　　　　　　　　　　　　　　　　2

avons vu au match de tennis samedi. Il était avec sa cousine _____ habite
　　　　　　　　　　　　　　　　　　　　　　　　　　　　　　　　3

en banlieue. Cette fille, _____ je ne me rappelle pas le nom, a de très longs
　　　　　　　　　　　　　4

cheveux blonds. C'est elle _____ nous a invités chez Jacques après le match.
　　　　　　　　　　　　　　　5

Nom _____ Date _____

Quiz 8

Journalisme

Les grandes occasions

Choisissez. *(10 pts.)*

1. Didier et Solange ont annoncé _____ de leur bébé.

   a. le mariage

   b. les fiançailles

   c. la naissance

2. Le bébé _____ mercredi matin.

   a. est né

   b. s'est marié

   c. s'est fiancé

3. Avant de se marier Lise et Daniel vont _____.

   a. se saluer

   b. se fiancer

   c. aller aux obsèques

4. Le grand-père de Maryse est mort hier. _____ aura lieu vendredi.

   a. Les fiançailles

   b. L'enterrement

   c. Le mariage

5. Jean et Françoise se sont fiancés et tout le monde leur demande _____.

   a. quand ils vont se marier

   b. quand ils vont en vacances

   c. quand auront lieu les fiançailles

6. Ma fille va se marier l'année prochaine. On va annoncer _____ samedi.

   a. les obsèques

   b. les fiançailles

   c. la naissance

7. On nous a dit que _____ auraient lieu au cimetière du Père-Lachaise.

   a. les obsèques

   b. le mariage

   c. la naissance

8. Il est triste d'apprendre qu'une personne que vous avez aimée _____.

   a. est née

   b. s'est fiancée

   c. est décédée

9. Le mariage aura lieu _____.

   a. à l'église

   b. au cimetière

   c. à l'hôpital

10. Quelle est votre date de _____?

   a. mariage

   b. naissance

   c. fiançailles

Nom _____ Date _____

Quiz 9

Journalisme

Garçons–Filles

Complétez. *(10 pts.)*

1. Elle ne va pas s'amuser. Elle va _____.

2. La même personne ne fait pas tout le travail. On _____ les tâches.

3. Un _____ enseigne dans une école primaire.

4. Un parent _____ de la cuisine pendant que l'autre

   _____ des enfants.

5. Il aime beaucoup son _____ parce qu'il reçoit un bon salaire.

Nom _____ Date _____

Quiz 10

Structure II

Les prépositions avec les pronoms relatifs

A Combinez les deux phrases en une seule phrase. *(10 pts.)*

1. C'est une jeep. Joëlle est partie à la montagne avec cette jeep.

   _____

2. C'est un examen. J'ai beaucoup à étudier pour cet examen.

   _____

3. Voilà un cinéma. Martine habite près de ce cinéma.

   _____

4. Ce sont des immeubles modernes. Je travaille en face de ces immeubles.

   _____

5. C'est un petit village. Mes parents ont passé l'été dans ce village.

   _____

B Complétez. *(10 pts.)*

1. C'est le chien _____ j'adore.

2. C'est la personne avec _____ je pars en vacances.

3. C'est un film _____ il pense souvent.

4. C'est le livre _____ le prof oublie toujours le titre.

5. Ce sont des animaux pour _____ j'ai beaucoup
   d'affection.

6. Voici les gens chez _____ Laurence est logée.

7. Paris est une ville _____ les gens mangent bien.

8. Voilà les vaches _____ le fermier donne de l'eau.

9. C'est l'année _____ je l'ai vu pour la première fois.

10. Barbara est la chanteuse _____ il m'a souvent parlé.

Nom _____ Date _____

Quiz 11

Structure II

Le subjonctif avec des expressions de doute

Complétez. *(10 pts.)*

1. Je suis certaine que Michel _____ demain. (venir)

2. Il doute que le prof lui _____ de partir avant l'heure. (permettre)

3. Il n'est pas probable que tes amis _____ faire le voyage. (pouvoir)

4. Elle pense que Marie et moi _____ la cuisine. (faire)

5. Il n'est pas évident que vous _____ le faire. (savoir)

6. Ça m'étonnerait que Robert _____ à l'examen. (réussir)

7. Je ne crois pas que tu _____ le temps d'y aller. (avoir)

8. Ma copine est sûre que je _____ ma voiture à Luc. (vendre)

9. Il ne pense pas que le film _____ mauvais. (être)

10. Je crois que nous _____ un temps merveilleux demain. (avoir)

Nom _____ Date _____

Quiz 12

Structure II

Le plus-que-parfait

Complétez avec le plus-que-parfait. *(10 pts.)*

1. Mireille, je ne savais pas que vous _____. (se fiancer)

2. J'_____ déjà _____ les courses quand ils sont arrivés. (faire)

3. Nous ne voulions pas croire que Jean-Claude _____ malade. (être)

4. Quand on est arrivé au cinéma, Marc et Anne _____

   déjà _____. (partir)

5. Claire ne savait pas que son chien _____ dans la forêt. (se perdre)

6. Elle croyait que quelqu'un _____ son chien pendant qu'elle était absente. (voler)

7. Quand les copains sont entrés dans la maison le téléphone

   _____ déjà _____ dix fois. (sonner)

8. Savait-il que tu _____ être hospitalisé? (devoir)

9. Ils _____ de dîner quand leurs amis sont arrivés. (finir)

10. Nous _____ les Lambert avant de connaître leurs enfants. (connaître)

CHAPITRE

6

Quiz 13

Littérature

La mauvaise réputation

A Trouvez les mots qui correspondent. *(4 pts.)*

1. _____ un aveugle
2. _____ un cul-de-jatte
3. _____ un manchot
4. _____ un sourd-muet

a. n'a pas de jambes

b. n'a qu'un bras ou n'a pas de bras du tout

c. ne peut pas voir

d. ne peut ni entendre ni parler

B Choisissez. *(16 pts.)*

1. C'est un défilé militaire.
   Les soldats marchent _____.
   a. au clairon
   b. aux feux d'artifice
   c. au pas

2. On sonne _____.
   a. les violons
   b. le clairon
   c. la clarinette

3. J'ai vu Éliane hier. Je l'ai _____
   dans la rue.
   a. croisée
   b. crevée
   c. poussée

4. Voilà le criminel! _____!
   a. Au revoir
   b. Au voleur
   c. Le voleur

5. Tu veux savoir ce que Jean m'a dit?
   a. Mais oui. Ça va de soi.
   b. Mais non. Ça ne me regarde pas.
   c. Mais oui. Lance-lui la patte.

6. Tout le monde était à la fête _____
   Carole, qui était en voyage.
   a. avec
   b. de
   c. sauf

7. Comment a-t-il attrapé le voleur?
   a. Il a lancé la patte et il l'a fait
   tomber.
   b. Il lui a lancé le pâté.
   c. Il l'a croisé dans la rue.

8. Dans une démocratie, la tolérance
   est une valeur fondamentale.
   a. Ça va de soi.
   b. Ça ne me regarde pas.
   c. Ça n'a pas d'importance.

Nom _____ Date _____

Quiz 14

Littérature

Le corbeau et le renard

Complétez. *(10 pts.)*

1. Le _____ est un animal qui ressemble un peu à un chien.

2. Il n'a pas dit la vérité. Je t'assure qu'il a _____.

3. Bien sûr qu'il a pris le fromage. Il l'a tout de suite _____.

4. Pour manger l'insecte, l'oiseau l'a pris dans son _____.

5. Il y a beaucoup d'arbres dans un _____.

Nom _____ Date _____

Quiz 1

Culture

La santé des Français

A Trouvez les mots qui correspondent. *(6 pts.)*

1. _____ une cavalière   **a.** un hôpital

2. _____ une nageuse   **b.** un laboratoire

3. _____ une aide-soignante   **c.** une ambulance

4. _____ un laborantin   **d.** un cheval

5. _____ un ambulancier   **e.** un terrain de plein air

6. _____ un joueur de base-ball   **f.** une piscine

B Donnez l'expression qui est définie. *(4 pts.)*

1. faire une excursion en montagne _____

2. faire du cheval _____

3. faire une promenade à ski _____

4. faire une promenade pour le plaisir ou pour entretenir la forme _____

C Choisissez. *(10 pts.)*

1. Le rôle d'un médecin est de _____ ses malades.
(guérir / prévenir)

2. Il est nécessaire de _____ les problèmes de santé.
(privilégier / prévenir)

3. Il y a des malades imaginaires qui _____ tout le
temps de leurs problèmes de santé. (s'amusent / se plaignent)

4. Dans un laboratoire on fait de la _____
(dépense / recherche)

5. Tout le monde veut avoir une meilleure résistance physique. Cela explique

l'_____ de la pratique du sport.
(accueil / accroissement)

Nom _____ Date _____

Quiz 2

Conversation

En pleine forme

Complétez le paragraphe avec les mots de la liste qui conviennent. *(10 pts.)*

cardiaques	pouls	pulmonaires
examen	poumons	santé
exige	prise	tension
nourriture		

Chaque année je dois aller chez le médecin pour un _____ 1

médical. Le médecin me prend le _____ 2 et la

_____ 3 artérielle. Puis il me fait une

_____ 4 de sang et une radio des _____ 5 . Je

suis toujours en parfaite _____ 6 parce que ma mère

_____ 7 que je fasse attention à ce que je mange. Elle ne veut pas

que j'aie des problèmes de santé plus tard. Elle croit qu'une

_____ 8 saine, avec beaucoup de fruits et légumes, peut prévenir

les maladies _____ 9 et _____ 10 .

Nom _____ Date _____

Quiz 3

Langage

La santé physique

A Que diriez-vous dans les situations suivantes? Répondez. *(8 pts.)*

1. Ça va? (Vous vous sentez bien.)

_____

2. Comment vas-tu? (Vous ne vous sentez pas très bien.)

_____

3. Qu'est-ce qui ne va pas? (Vous avez les yeux qui piquent, la gorge qui gratte, le nez qui coule, etc.)

_____

4. Ça va? (Vous vous sentez très, très bien.)

_____

B Exprimez d'une façon plus familière. Écrivez des phrases complètes. *(8 pts.)*

1. J'ai beaucoup de fièvre.

_____

2. Je suis très fatigué(e).

_____

3. Je n'ai pas d'appétit.

_____

4. Je dors tout le temps.

_____

C Exprimez de deux façons différentes: *Je te souhaite un prompt rétablissement.*
(4 pts.)

1. _____

2. _____

CHAPITRE 7

Quiz 4

Langage

Le bien-être psychologique

A Décidez si la personne qui parle est heureuse, malheureuse ou fâché(e). *(10 pts.)*

1. Je suis de bon poil.
2. Je suis de mauvaise humeur.
3. Je suis déprimé(e).
4. Je suis furax.
5. J'ai le cafard.
6. J'ai le moral.
7. J'ai beaucoup de peine.
8. Je suis furibard(e).
9. J'ai le cœur gros.
10. Je suis en colère.

	1	2	3	4	5	6	7	8	9	10
personne heureuse										
personne malheureuse										
personne fâchée										

B Complétez la conversation. *(10 pts.)*

Annie: Je déteste ce genre de film. C'est absolument sans intérêt.

Valérie: Oui, je suis d'accord avec toi. C'est vraiment _____
1

Annie: Les vedettes jouent mal et il n'y a pas de suspense. Ça me (m')

_____!
2

Valérie: Et c'est long! Voilà déjà une heure et demie qu'on le regarde et rien ne

s'est encore passé! J'en ai _____!
3

Annie: Moi aussi! Tu veux qu'on éteigne la télé?

Valérie: Euh... non, pas encore.

Annie: Mais pourquoi? Ce film est complètement nul...

Valérie: Oui, je sais, mais c'est mon oncle qui l'a mis en scène, alors ça

m'_____ de ne pas regarder encore quelques minutes.
4

Annie: Encore lui?! Tu me casses _____ avec ton oncle! Ça
5

fait au moins trois fois que tu me forces à regarder un de ses films!

Nom _____ Date _____

Quiz 5

Structure I

Les verbes réfléchis

A Complétez. *(16 pts.)*

1. Le matin je _____ les dents. (se brosser)

2. Ma petite sœur et moi, nous _____ vite. (s'habiller)

3. Je lui dis toujours: «Véronique, il faut que tu

   _____.» (se dépêcher)

4. Maman nous dit: «Vous êtes toujours en retard, les filles! Vous devriez

   _____ à six heures et demie, pas à sept

   heures.» (se réveiller)

5. Quand elle nous dit ça, nous _____ et nous rions. (se regarder)

6. Moi, je _____ avant sept heures et quart. (ne jamais se lever)

7. Et le week-end, tous mes amis _____ tard. (se coucher)

8. Ils aiment _____ le vendredi et le samedi soir. (se voir)

B Choisissez et complétez avec la forme du verbe qui convient. *(4 pts.)*

1. Nous _____ le bébé après le dîner. (se coucher / coucher)

2. Ces garçons _____ souvent les mains. (se laver / laver)

3. Mes cousins ont passé l'après-midi à _____ leur voiture. (se laver / laver)

4. Tu _____ le chien après son bain? (se brosser / brosser)

Nom _____ Date _____

Quiz 6

Structure I

Les verbes réfléchis au passé composé

Mettez au passé composé. *(33 pts.)*

Élisabeth se lève de bonne heure. Elle se lave la figure, se brosse les dents et se maquille avant d'aller faire de l'équitation au bois de Boulogne avec sa copine Michèle. Quand les deux filles se voient, elles ne se donnent pas la main; elles s'embrassent. Bonnes cavalières toutes les deux, elles s'amusent beaucoup à faire du cheval. Mais quand Élisabeth se rappelle son rendezvous avec son ami Philippe, elle se dépêche pour ne pas être en retard. Naturellement, elle a un accident. Elle se casse la jambe. Dans la salle des urgences, elle se plaint beaucoup.

Deux mois plus tard, les deux filles se séparent pendant les vacances. Elles s'écrivent et se téléphonent de temps en temps. Elles se parlent pendant des heures.

_____

_____

_____

_____

_____

_____

_____

_____

_____

_____

_____

_____

_____

Quiz 7

Structure I

Le pronom interrogatif **qui**

A Répondez en utilisant **qui, qui est-ce qui** ou **qui est-ce que**. *(5 pts.)*

1. _____ as-tu vu hier?

2. Il m'a demandé _____ était à la fête.

3. _____ les joueurs vont choisir pour l'équipe?

4. Avec _____ Claudine est-elle partie?

5. Pour _____ vous avez écrit ce poème?

B Posez une question qui porte sur les mots en italique dans chaque phrase. *(15 pts.)*

1. *Agnès* va ouvrir la fenêtre.

_____

2. Nos voisins ont salué *Madame Langelot* dans la cour.

_____

3. Jean-Paul est sorti avec *Stéphanie* hier soir.

_____

4. *Le médecin* lui a fait une radio des poumons.

_____

5. M. Perrin a téléphoné à *son fils*.

_____

Quiz 8

Structure I

Les pronoms interrogatifs **que** et **quoi**

Posez une question qui porte sur les mots en italique dans chaque phrase. *(20 pts.)*

1. *Ce livre* est ennuyeux!

_____

2. Le prof va enseigner les pièces de *Racine*.

_____

3. Nous avons visité *la tour Eiffel* l'année dernière.

_____

4. Sa mère a besoin de *beaucoup de patience*.

_____

5. Jean-Luc met ses skis sur *le toit de la voiture*.

_____

6. *Rien* ne s'est passé ici.

_____

7. À la fin de ce film, le héros met le trésor dans *le placard*.

_____

8. Ils ont vu *les deux Américaines* au cinéma hier.

_____

9. *La petite amie de François* était à la piscine.

_____

10. Elle pense souvent au voyage *qu'elle va faire*.

_____

Quiz 9

Journalisme

L'oreille et le bruit

Choisissez. *(10 pts.)*

1. Le son _____ est agréable.

   a. d'un marteau-piqueur

   b. d'un chant d'oiseau

   c. d'un sifflet d'agent de police

2. Mon ami David ne peut pas entendre. Il est _____.

   a. sourd

   b. fort

   c. faible

3. L'appareil auditif est formé _____.

   a. des deux yeux

   b. des deux oreilles

   c. de l'audition

4. Quel bruit affreux! Cela m'a _____ du sommeil.

   a. accueilli

   b. attiré

   c. tiré

5. Une sirène d'alarme et les klaxons de cinquante voitures produisent _____.

   a. des engins

   b. des sons désagréables

   c. des bruits faibles

6. On n'aime pas toujours une chanson à la première _____.

   a. voix

   b. fois

   c. audition

7. Ce problème est _____. Demain tu n'y penseras plus.

   a. passager

   b. voyageur

   c. définitif

8. Ce n'est pas _____ de musique qui me plaît.

   a. l'audition

   b. le chant

   c. la sorte

9. Cette femme a une voix très _____. Elle me fait mal aux oreilles!

   a. faible

   b. aiguë

   c. sourde

10. Tu entends le vent dans les _____ des arbres?

    a. feuilles

    b. oiseaux

    c. feux

Chapitre 7

Quiz 10

Journalisme

Régime

Complétez le paragraphe avec les mots de la liste qui conviennent. *(10 pts.)*

bout   grignotage   picorent
escamote   grignoter   piège
éviter   maïs   souris
grains

Brigitte, qui habite dans une ferme, donne à manger aux animaux. Elle donne d'abord du foin aux chevaux. Puis elle jette des _____1_____ de _____2_____ autour d'elle. C'est pour les poulets, qui les _____3_____ vite. Dans sa ferme il y a un vieux pommier qui donne des pommes dont Brigitte se sert pour faire des tartes aux pommes. Mais elle essaie de ne pas trop en manger, parce qu'elle veut maigrir un peu. Le _____4_____ est dangereux; c'est un _____5_____ que Brigitte voudrait _____6_____ le plus possible. Elle fait toujours trois repas par jour: elle n'_____7_____ pas de repas. Quand elle a très faim, elle va à la cuisine et prend un petit _____8_____ de fromage. Sa mère dit qu'elle est comme une petite _____9_____ parce qu'elle aime _____10_____ du fromage.

Nom _____ Date _____

Quiz 11

Structure II

Les pronoms interrogatifs et démonstratifs

A Complétez avec une forme de **quel, lequel** ou **celui-là**. *(5 pts.)*

1. —_____ groupe de rock est-ce que tu préfères?

   —J'aime beaucoup _____.

2. —Et _____ chanson préfères-tu?

   —_____.

3. —Tu sais _____ de leurs disques sont en vente dans ce magasin?

   —Juste _____, je crois.

4. —Ah, je vois que tu as choisi quelques cassettes. _____?

   —_____. Je vais les offrir à ma copine comme cadeau d'anniversaire.

5. —_____ copine? Tu as une photo d'elle sur toi?

   —J'ai une photo de la fanfare dans laquelle elle joue. Regarde: Nicole, c'est _____, avec la queue de cheval.

B Complétez avec une forme de **celui qui, celui que, celui dont** ou **celui de**. *(5 pts.)*

Guy: Tu vois la fille là-bas?

Alain: _____ joue au foot?
       ₁

Guy: Mais non! _____ tu as rencontrée hier, à la cantine.
     ₂

Alain: Ah bon! Je croyais que tu voulais dire l'autre, _____ l'équipe de foot.
       ₃

Guy: Eh bien, elle s'appelle Meredith Duclos. Sa mère est américaine. Elle a écrit un roman policier, un best-seller.

Alain: Un roman policier? C'est _____ le prof a parlé ce
       ₄

       matin, qui s'appelle *Pièges à vendre?*

Guy: Je crois que oui. Il a dit que tous _____ ont aimé
     ₅
     Le Client vont aussi aimer ce livre.

Nom _____ Date _____

Quiz 12

Structure II

Les pronoms possessifs

Complétez. *(10 pts.)*

1. J'ai acheté mon sac dans ce magasin-là. Où as-tu acheté

   _____?

2. Fabienne a fait tous ses devoirs, mais je n'ai pas encore fait tous

   _____.

3. Barbara doit prendre la voiture de son père parce que

   _____ est au garage.

4. Ces cartes de crédit sont à moi. Ce sont _____.

5. Les Fauré partent en vacances avec leur chat, mais nous laissons

   _____ chez le voisin.

6. J'ai pris mes gants. Je crois que ce sont _____, Madame.

7. Mettez vos bagages sur la balance. Thomas a déjà pesé

   _____.

8. Je crois que ces livres sont à vos cousins. Demandez-leur si ce sont

   _____.

9. Nous prenons notre petit déjeuner à huit heures et les enfants prennent

   _____ plus tard.

10. Tu as pensé à prendre mes clés mais tu as oublié _____!

Nom _____ Date _____

Quiz 13

Littérature

Le malade imaginaire

Complétez les phrases. *(10 pts.)*

1. La tuberculose est une maladie des _____.

2. Le médecin lui a examiné _____ parce qu'il a des douleurs abdominales.

3. Il ne prend jamais le bus. Ça lui donne des maux _____.

4. Quand on a une sensation de _____ il vaut mieux ne pas conduire.

5. Elle demande de l'aspirine. Il paraît qu'elle a des _____ de têtes fréquentes.

6. Robert habite dans un beau quartier de la ville. Il vient d'une famille

   _____.

7. Molière aimait aller à la foire voir les comédiens _____.

8. L'enfant ne veut pas visiter le musée; il va y aller contre

   _____.

9. Quand on joue au foot on peut se servir de _____ pour renvoyer le ballon.

10. Les Français disent qu'il faut éviter de manger des aliments riches quand on

    a mal _____.

Quiz 14

Littérature

Knock

Choisissez. *(10 pts.)*

1. Si vous êtes chatouilleux ou chatouilleuse, vous n'aimez pas qu'on vous _____.

   a. gratte les cheveux

   b. chatouille les côtes

   c. grattouille les os

2. Quand on vous chatouille, _____.

   a. vous vous grattez

   b. vous réfléchissez

   c. vous riez

3. Quand on est debout, _____.

   a. la plante des pieds n'est pas visible

   b. les doigts de pied ne sont pas visibles

   c. les doigts ne sont pas visibles

4. Stéphane _____ toujours avant de faire quelque chose.

   a. réfléchit

   b. avoue

   c. pique

5. Irène est malade. Elle doit _____.

   a. lire un prospectus

   b. garder le lit

   c. méditer longuement

6. C'est Jean qui a volé l'argent. Il a tout _____.

   a. prêté

   b. exigé

   c. avoué

7. Pourquoi est-ce que Pierre se gratte comme ça?

   a. Parce que ça le chatouille.

   b. Parce qu'il a des démangeaisons.

   c. Parce qu'il veut garder le lit.

8. Nicole a été piquée par _____.

   a. une espèce d'insecte bizarre

   b. une sorte de piège

   c. un troupeau de vaches dans un pré

9. Ça la gratte?

   a. Oui, c'est pourquoi ça la démange.

   b. Oui, c'est pourquoi elle se gratte.

   c. Non, parce qu'elle n'est pas chatouilleuse.

10. Ces joueurs ont marqué davantage de buts que nous.

    a. Comme ci, comme ça.

    b. Comme vous voulez.

    c. Comme d'habitude.

Nom _____ Date _____

Quiz 1

Culture

Les Français et les arts

Complétez le paragraphe avec les mots de la liste qui conviennent. *(10 pts.)*

aile	palais	roi
chantier	patrimoine	souterraine
fier	piétonnier	vestiges
fouilles		

François Letellier est archéologue. Lui et ses collègues travaillent depuis deux ans sur

un _____ de _____ archéologiques
       1   2

en Grèce. Ils espèrent découvrir les _____ d'une civilisation
                   3

ancienne dont le _____ s'appelait Kronos. Ils ont déjà
              4

découvert une _____ du _____ de
          5   6

Kronos, qui était _____ de son royaume et de sa richesse. La
            7

légende dit qu'il mettait tout son or dans une chambre

_____ , accessible par un passage
         8

_____ secret. Même si les archéologues réussissent à trouver
         9

le trésor, ils ne pourront pas le garder parce qu'il fait partie du

_____ du peuple grec.
         10

Quiz 2

Culture

La recherche scientifique

Choisissez. *(10 pts.)*

1. Ma mère travaille dans un centre de recherche. Elle est _____.
   a. infirmière
   b. chercheuse
   c. partenaire

2. Avec ses collègues, elle fait _____.
   a. des courses
   b. des fouilles
   c. de la recherche

3. _____ espèrent trouver une cure pour le sida.
   a. Les chercheurs
   b. Les malades
   c. Les outils

4. Ils _____ leurs rencontres avec d'autres scientifiques.
   a. regrettent
   b. détestent
   c. tirent profit de

5. Le gouvernement leur _____ l'argent nécessaire.
   a. emprunte
   b. fournit
   c. prend

6. Ma mère se sert _____ qui coûtent très cher.
   a. de laboratoires
   b. d'outils
   c. de couverts

7. On travaille mieux avec des instruments _____.
   a. piétonniers
   b. primordiaux
   c. perfectionnés

8. Maman _____ faire une découverte importante.
   a. est à même de
   b. est à côté de
   c. est désolée de

9. Récemment, un de ses collègues a fait une découverte _____.
   a. primitive
   b. primaire
   c. primordiale

10. L'organisme pour lequel ma mère travaille favorise _____.
    a. la paternité
    b. le partenariat
    c. les piétons

Nom _____ Date _____

Quiz 3

Conversation

Visite à la Grande Arche

A Décrivez les dessins. *(12 pts.)*

1.

1. _____

2. _____

3. _____

4. _____

B Complétez. *(8 pts.)*

1. Ici c'est le _____ de la Défense.

2. Prenons l'ascenseur jusqu'au _____. On dit qu'il y a une belle vue de là-haut.

3. Cette pauvre Américaine est _____ parce qu'elle habite dans ce pays depuis très peu de temps.

4. J'ai très peu d'argent sur moi. J'ai _____ trois dollars.

Quiz 4

Langage

Réactions

A Choisissez. *(5 pts.)*

1. La cuisine marocaine est bonne?
   a. Ah oui! Je déteste ça!
   b. Ah oui! C'est débile!
   c. Ah oui! J'adore!

2. Tu as vu la pièce d'Ionesco?
   a. Non, c'est très émouvant.
   b. Oui, c'est plein d'humour.
   c. Oui, la photographie est remarquable.

3. C'est vrai que le film ne vous a pas plu?
   a. Oui, j'ai trouvé ça nul.
   b. Oui, l'histoire est vraiment originale.
   c. Oui, je le reverrais avec plaisir.

4. Ce livre est ennuyeux à mourir.
   a. Je suis d'accord. C'est extraordinaire.
   b. Oui, je sais. C'est bête à pleurer.
   c. Je ne suis pas d'accord. J'ai été très déçu(e).

5. Oh là là! C'est minable!
   a. Comment?! Ça ne vous a pas plu?
   b. C'est vrai. On n'arrête pas le progrès.
   c. Oui, c'est une merveille!

B Dites si la personne qui parle aime ou n'aime pas (le spectacle, l'œuvre d'art, etc.) *(5 pts.)*

	aime	n'aime pas
1. Ça m'a beaucoup plu.	____	____
2. Quel mélo!	____	____
3. Je n'en reviens pas.	____	____
4. C'est une honte!	____	____
5. C'est horriblement laid.	____	____

Quiz 5

Structure I

Le conditionnel présent

Complétez au conditionnel. *(10 pts.)*

Dis donc, Laurence, est-ce que tu _____ (pouvoir) me rendre
          1

un petit service? J'_____ (aimer) emprunter ta voiture. Jeanne
          2

et moi, nous _____ (vouloir) aller à Chartres demain, juste
          3

pour quelques heures. Simone et Louis ont dit qu'ils _____
          4

(venir) avec nous, mais ça m'_____ (étonner) qu'ils puissent
          5

venir: ils ont toujours du boulot. Si ton cousin avait envie de nous accompagner, nous

_____ (être) heureux de l'emmener avec nous. Qu'en
          6

penses-tu? Ça lui _____ (plaire) de visiter la cathédrale? S'il
          7

voulait y aller avec nous, il n'_____ (avoir) qu'à nous le dire ce
          8

soir. Je serai chez moi jusqu'à sept heures. S'il me téléphonait après sept heures et que

je n'étais pas là, il _____ (pouvoir) me laisser un message.
          9

Comme ça, s'il voulait qu'on passe le prendre demain matin, on le

_____ (savoir) à temps.
          10

Quiz 6

Structure I

L'infinitif passé

Complétez avec l'infinitif passé. *(20 pts.)*

1. Ils sont allés au Musée d'Orsay et après l'_____
   ils ont déjeuné au restaurant du musée. (visiter)

2. Cette pièce? Ah oui, je suis très content de
   l'_____. (voir)

3. Les filles ont vu une exposition formidable. Elles ne regrettent pas d'y
   _____. (aller)

4. Mes copains ont joué au foot après _____
   l'examen. (passer)

5. Après _____, Claudine a pris son petit déjeuner.
   (se maquiller)

6. Je suis désolé d'être parti sans _____ la
   connaissance de Bernard. (faire)

7. Nous nous sommes endormis immédiatement après
   _____. (se coucher)

8. Tu regrettes de _____ dans les Catacombes,
   Annette? (ne pas descendre)

9. Je voulais lire ces lettres, mais après les _____
   j'étais déçu. (lire)

10. Les valises? Vous êtes fâchés de les _____ dans
    le train? (oublier)

CHAPITRE 8

Quiz 7

Structure I

Le participe présent

A Faites une seule phrase en utilisant **en** (si c'est nécessaire) + le participe présent. *(10 pts.)*

1. J'ai fait du ski. Je me suis cassé la jambe.

   _____

2. Sandrine est allée au magasin. Elle a perdu son chemin.

   _____

3. Nous sommes partis. Nous lui avons dit au revoir.

   _____

4. Il savait que j'avais encore du travail à faire. Il est allé seul au cinéma.

   _____

5. J'ai eu mal à la tête. J'ai pris de l'aspirine.

   _____

B Refaites chaque phrase en utilisant le participe présent composé. *(10 pts.)*

Après avoir vu le film, nous sommes rentrés. →
Ayant vu le film, nous sommes rentrés.

1. Après avoir jeté un coup d'œil sur les fleurs, mes cousins sont rentrés.

   _____

2. Après être montées dans leur chambre, les femmes se sont couchées.

   _____

3. Après s'être dépêché, mon père s'est senti fatigué.

   _____

4. Après avoir servi les boissons, les stewards se sont assis.

   _____

5. Après avoir été piquée par un insecte, ma tante n'est plus allée dans son jardin.

   _____

Nom _____ Date _____

Quiz 8

Journalisme

Toulouse-Lautrec vu par Fellini

Complétez avec les mots de la liste qui conviennent. *(33 pts.)*

cinéaste	émerveillés	habits	rentes
cirque	exprimé	marionnettes	rentier
écuyère	foire	metteurs en scène	spectacle
écuyers	gestes	regards	trapézistes

Le jeudi après-midi j'emmène les enfants au jardin du Luxembourg voir les

_____ . Les enfants sont _____ devant ce
　　　　　　1　　　　　　　　　　　　　　　　　　　　　　2

_____ : leur plaisir se voit dans leurs
　　　　　3

_____ et dans tous leurs _____ . Et
　　　　　4　　　　　　　　　　　　　　　　　　　　　　5

quand ils vont au _____ , c'est la même fascination. Ils adorent
　　　　　　　　　　　　6

les _____ magnifiques des _____ qui
　　　　　7　　　　　　　　　　　　　　　　　　　　　8

sautent dans l'air et des _____ qui font des numéros
　　　　　　　　　　　　　9

incroyables à cheval. La petite Nathalie a envie d'être _____
　　　　　　　　　　　　　　　　　　　　　　　　　　　　　10

quand elle sera grande! L'année dernière je les avais emmenés à la

_____ mais ça ne leur avait pas plu. Ils n'ont pas
　　　　　11

_____ le désir d'y retourner cette année. Mon voisin Jean
　　　　　12

Langlois, qui est _____ , a fait un film sur le cirque. Il nous a dit
　　　　　　　　　　　　13

qu'il avait toujours rêvé de porter à l'écran cet émerveillement de l'enfant fasciné par

le cirque. Il paraît que c'est le désir de tous les _____ ! Leurs
　　　　　　　　　　　　　　　　　　　　　　　14

souvenirs deviennent pour eux une sorte de richesse qui les aide à vivre—comme un

_____ qui vivrait de ses _____ !
　　　　　15　　　　　　　　　　　　　　　　　　　16

Nom _____ Date _____

Quiz 9

Journalisme

Les aventures de Tintin

Choisissez. *(10 pts.)*

1. En 1969 les astronautes américains ont marché sur _____.

   a. la Terre

   b. la Lune

   c. le Soleil

2. _____ tourne autour du Soleil.

   a. La Lune

   b. L'étoile

   c. La Terre

3. Il faut _____ pour explorer l'espace.

   a. un micro

   b. une fusée

   c. un cauchemar

4. Il n'y a pas de monstre affreux sous ton lit! Tu as fait _____.

   a. une libellule

   b. un cochon

   c. un cauchemar

5. Ce désert ressemble à un _____.

   a. paysage lunaire

   b. paysage vivant

   c. paysage solaire

6. Ne t'affole pas. Les enfants vont rentrer _____.

   a. hier

   b. sains et saufs

   c. sans doute

7. Son mari _____ quand il dort.

   a. s'affole

   b. saute

   c. ronfle

8. Paul _____ tranquillement dans la rue.

   a. s'affolait

   b. ronflait

   c. marchait

9. Les copains sont déjà partis?

   a. Sans doute.

   b. Sans blague.

   c. Je doute.

10. Laure a sauté très haut?

    a. Oui, elle a fait des pas.

    b. Oui, elle a ronflé très fort.

    c. Oui, elle a fait un bond incroyable.

Nom _____ Date _____

Quiz 10

Structure II

Le conditionnel passé

Complétez avec le conditionnel passé. *(20 pts.)*

Marc: Qu'est ce que vous avez fait pendant le cours de français hier?

Lise: Rien. Le prof _____ nous enseigner la grammaire, mais
$\quad$ 1

il y avait trop de bruit dans la salle à côté. (vouloir)

Marc: Tu dis que vous _____ le chapitre 8, mais qu'il y avait
$\quad$ 2

trop de bruit? (étudier)

Lise: Oui... heureusement, parce que, sinon, il _____ à voir
$\quad$ 3

mes devoirs. (demander)

Marc: Et tu n'as pas fait tes devoirs?

Lise: Écoute, je les _____, mais j'étais fatiguée mercredi soir.
$\quad$ 4

(faire)

Marc: Alors tu t'es couchée tôt, sans faire tes devoirs?

Lise: Euh... Non, pas vraiment. Je _____ tôt, mais j'avais
$\quad$ 5

faim. (se coucher)

Marc: Alors tu es descendue à la cuisine...

Lise: Mais non! Je suis sortie avec des copains. Ils _____
$\quad$ 6

dîner dans un restaurant cher, mais je n'avais pas beaucoup d'argent sur moi.

(préférer)

Marc: Ils t'_____ de l'argent, non? (prêter)
$\quad$ 7

Lise: Sans doute. Mais j'_____. À ma place, tu
$\quad$ 8

_____ de l'argent à tes copains, toi? (refuser,
$\quad$ 9

emprunter)

Marc: Mes copains à moi ne m'en _____ pas

_____! (offrir)
$\quad$ 10

Nom _____ Date _____

Quiz 11

Structure II

Les propositions avec si

Complétez. *(20 pts.)*

1. Si nous avons le temps, nous _____ voir la Grande Arche. (aller)

2. Si vous _____ les billets à l'avance, nous pourrions y aller le mois prochain. (prendre)

3. Si tu arrives après dix heures, _____ à tes parents. (téléphoner)

4. S'il pouvait dépenser mille dollars, il _____ très loin. (partir)

5. Si j'avais vécu au XIXe siècle, j'_____ écouter Chopin jouer du piano. (pouvoir)

6. S'il avait fait beau hier, ils _____ à la plage. (aller)

7. Si j'étais directeur de cette société, je _____ tout mon temps dans des réunions ennuyeuses. (passer)

8. Si Élisabeth n'était pas venue, qu'est-ce que vous

   _____?! (faire)

9. Si les spectateurs espéraient voir une comédie, ils

   n'_____ pas _____ choisir ce film. (devoir)

10. Si vous voulez que je lave ce jean, _____-le-moi vite. (donner)

Nom _____ Date _____

Quiz 12

Structure II

Le **faire** causatif

A Répondez en utilisant des pronoms. *(10 pts.)*

1. Est-ce que tu fais nettoyer *tes vêtements*?

   _____

2. Est-ce que tes parents te font faire *la vaisselle*?

   _____

3. Est-ce que le prof vous fait passer *des examens*?

   _____

4. Est-ce qu'il a fait chanter «*La Marseillaise*» *aux élèves*?

   _____

5. Est-ce que tu fais rire *ton ami*?

   _____

B Complétez au passé. *(10 pts.)*

Hier les filles _____ (se faire couper) les

cheveux. Et les garçons _____ (se faire tailler)

les pattes. Maryse _____ (se faire faire) une

permanente. Les robes que les filles _____

(se faire faire) étaient très belles. Mais deux jours avant le mariage les garçons

_____ (faire laver) leurs vêtements et ils ont

rétrécis!

Nom _____ Date _____

Quiz 13

Littérature

Le jet d'eau

A Trouvez les mots qui correspondent. *(5 pts.)*

1. _____ la guerre   **a.** une fontaine

2. _____ une fleur   **b.** le sang

3. _____ un jet d'eau   **c.** un laurier-rose

4. _____ le lever du soleil **d.** un combat

5. _____ saigner   **e.** l'aube

B Choisissez. *(5 pts.)*

1. Quand je suis triste, je _____.
   a. jaillis
   b. pleure
   c. saigne

2. On joue aux soldats. On _____.
   a. se baisse
   b. se lève
   c. se bat

3. Dans les films d'horreur on peut voir des monstres _____.
   a. sanglants
   b. bien cuits
   c. à point

4. L'eau _____ de la fontaine.
   a. pleure
   b. jaillit
   c. saute

5. Les médecins soignent les _____.
   a. morts
   b. combats
   c. blessés

Nom _____ Date _____

Quiz 14

Littérature

Sans dessus dessous

A Corrigez ce qui est en italique. Écrivez des phrases complètes. *(10 pts.)*

1. Oslo est la capitale *du Danemark.*

   _____

2. Dans la mer, près du Pôle Nord, il y a beaucoup de *dunes.*

   _____

3. J'habite sur la Côte d'Azur parce que j'aime *le froid.*

   _____

4. Fais attention: les rayons *de la lune* peuvent être dangereux.

   _____

5. Les fleurs qui s'ouvrent pendant la journée sont des fleurs *nocturnes.*

   _____

B Choisissez. *(10 pts.)*

1. Il va faire beau demain.

   a. Nous allons jouir d'une belle journée.

   b. Nous allons jouir du mauvais temps.

   c. Nous allons jouer sous la pluie.

2. Il veut toujours parler.

   a. Il amoindrit toujours les choses.

   b. Il ajoute toujours quelque chose.

   c. Il avance toujours.

3. Tu crois qu'il y a des _____ sur Jupiter?

   a. Martiens

   b. Terrestriens

   c. Joviens

4. Si on faisait plus attention à ce problème, la pollution pourrait être _____ en cinq ans.

   a. augmentée

   b. amoindrie

   c. en hausse

5. Depuis 1990 la population de la Terre _____.

   a. s'est accrue

   b. s'est amoindrie

   c. a baissé

Quiz 15

Littérature

La légende de la peinture

A Choisissez le contraire. *(4 pts.)*

1. _____ le plafond   **a.** le surlendemain

2. _____ bouger   **b.** la réalité

3. _____ un rêve   **c.** le sol

4. _____ deux jours avant   **d.** rester en place

B Encerclez le mot ou l'expression qui ne va pas avec les autres. *(6 pts.)*

1. pleurer   triste   émouvant   sourire

2. monter   baisser   jeter un coup d'œil diminuer

3. un restaurant   la Chine   un Chinois   une Chinoise

4. la fenêtre   le mur   le rêve   le plafond

5. la foule   beaucoup de monde   complet   vide

6. la médaille d'or gagner   le vainqueur   perdre

CHAPITRE 1

Culture

Quiz 1: Les Français et les voyages

1. camping	6. paysage
2. vacanciers	7. souhaiterais
3. malgré	8. rapport
4. proche	9. guère
5. sens	10. attirent

Conversation

Quiz 2: Avion ou train?

A

1. pressée	4. le montant
2. embouteillage	5. a raté
3. le compteur	

B *5, 2, 1, 3, 4*

Langage

Quiz 3: En voyage!

A

1. Bon voyage! (Amuse-toi bien! Bonnes vacances!)
2. Je suis désolé(e), mais je ne suis pas d'ici. (Je suis désolé[e], mais je ne sais pas.)

B

1. Pardon (Monsieur/Madame/Mademoiselle), (Excusez-moi mais) pourriez-vous (vous pouvez) me dire à quelle heure est le concert de rock ce soir?
2. Comment dois-je faire pour utiliser une télécarte?

C

1. À combien sont les oignons? (Les oignons sont à combien?)
2. Ça fait combien, tout ça?

Structure I

Quiz 4: Le passé composé avec **avoir**: verbes réguliers

1. Ce matin, mon frère et moi, nous avons attendu le facteur.
2. J'ai passé une heure au téléphone.
3. Mon frère a écouté la radio.
4. Notre mère a servi le déjeuner à midi.
5. Puis nos parents ont choisi une émission à regarder à la télé.
6. Vers trois heures, ils ont demandé: «Alors, vous avez fini vos devoirs?»
7. J'ai dormi un peu.
8. Nous avons perdu patience.
9. Enfin, on a entendu le facteur devant la maison.
10. Il nous a distribué le courrier.

Structure I

Quiz 5: Le passé composé avec **avoir**: verbes irréguliers

1. il a déjà vécu à Paris
2. il a déjà mis ses bagages dans la voiture
3. il a déjà dit au revoir à ses parents
4. il a déjà conduit son copain à l'aéroport
5. j'ai déjà vu Charles avant son départ
6. nous lui avons déjà offert un cadeau
7. ils ont déjà pris un coca au café
8. il a déjà écrit à son copain
9. il a déjà reçu beaucoup de cartes postales
10. il a déjà lu les cartes postales de Charles

Structure I

Quiz 6: Le passé composé avec **être**

1. sont allés	6. sont sortis
2. sont partis	7. sont descendus
3. sont arrivés	8. est venue
4. sont montés	9. sont tombés
5. sont entrés	10. sont rentrés

Structure I

Quiz 7: Le passé composé de certains verbes avec **être** et **avoir**

1. est montée	6. est descendue
2. a sorti	7. a passé
3. a descendu	8. est rentrée
4. est passé	9. est retournée
5. est montée	10. a sorti

Journalisme

Quiz 8: L'Acadie

A

1. Les Acadiens sont connus pour la façon dont ils reçoivent les touristes.
2. Leur accueil est chaleureux.
3. Ils aiment giguer.
4. Ils dansent au son des violons.
5. Dans cette région il est agréable de passer la nuit dans une auberge.

B

1. accueillants
2. sourire
3. mets
4. surmonter
5. dépaysement

Journalisme

Quiz 9: La météo

A

1. Il fait mauvais.
2. Il fait mauvais.
3. Il fait beau.
4. Il fait mauvais.
5. Il fait beau.

B

1. a
2. b
3. a
4. b
5. a

Structure II

Quiz 10: Le subjonctif présent des verbes réguliers

1. partes
2. regardions
3. choisisse
4. écrive
5. vende
6. conduisions
7. mettions
8. achète
9. nous servions
10. disent

Structure II

Quiz 11: Le subjonctif présent des verbes irréguliers

1. Il faut que tu ailles à l'école.
2. Il faut que j'aie de bonnes notes.
3. Il faut que les profs soient gentils.
4. Il faut que vous fassiez vos devoirs.
5. Il faut que notre équipe de basket puisse jouer demain.
6. Il faut que les joueurs veuillent vraiment gagner.
7. Il faut que vous sachiez lire et écrire en français.
8. Il faut que l'examen ne soit pas trop difficile.
9. Il faut que tu fasses la cuisine ce soir.
10. Il faut que nous allions dans un bon restaurant chinois demain.

Structure II

Quiz 12: Le subjonctif avec les expressions de volonté

1. fasse
2. soit
3. puissions
4. aillent
5. permette
6. fassiez
7. mette
8. suive
9. sachent
10. lise

Structure II

Quiz 13: Le subjonctif avec les expressions impersonnelles

1. il lise des guides touristiques
2. il veuille passer l'été à Madrid
3. son amie lui écrive tous les jours
4. ses parents aillent à l'aéroport avec lui
5. il fasse des excursions avec un groupe d'étudiants
6. ces étudiants sachent parler espagnol mieux que lui
7. je lui dise d'être patient
8. Jean-Claude et moi, nous connaissions les cousins espagnols de notre prof
9. ces cousins aient une maison de campagne près de Séville
10. Jean-Claude finisse ses devoirs d'espagnol avant d'aller chez eux

Littérature

Quiz 14: Le petit prince

A

1. Je flâne dans le jardin.
2. Je jette un coup d'œil sur les roses.
3. Est-ce que l'inflation entraîne la dépression économique?
4. Le professeur interroge les élèves.
5. Les gens qui travaillent dans ce laboratoire sont des savants.

B

1. fleur
2. épines
3. taille
4. pierre
5. encre

Littérature

Quiz 15: Le départ du petit Nicolas

1. vidé
2. bêtises
3. bruit
4. grondé
5. billes, billes

CHAPITRE 2

Culture

Quiz 1: Les jeunes Français et l'actualité

A

1. station
2. présentateur
3. auditeurs
4. sondages
5. infos
6. présentatrice
7. chaîne
8. journalistes (présentateurs)
9. téléspectateurs
10. informé (au courant)

B

1. e
2. d
3. a
4. b
5. c

Conversation

Quiz 2: Au bureau

1. b
2. b
3. a
4. b
5. a

Langage

Quiz 3: Invitations

A

1. b
2. a
3. c
4. b
5. a

B

1. Si on allait voir un film? (Ça te dirait d'aller voir un film? / Tu [ne] veux [pas] aller voir un film?)

2. On va prendre quelque chose? (Allez viens. On va prendre quelque chose. Je t'invite. / Tu [ne] veux [pas] prendre quelque chose? / Ça te dirait d'aller prendre quelque chose? / Si on allait prendre quelque chose?)

Structure I

Quiz 4: L'interrogation

1. Où va André? Où André va-t-il? Où est-ce qu'André va?
2. Combien a-t-il payé son billet d'avion? Il a payé son billet d'avion combien? Combien est-ce qu'il a payé son billet d'avion? Il a payé combien son billet d'avion?
3. Avec qui êtes-vous allé au Mexique? Avec qui est-ce que vous êtes allé au Mexique? Vous êtes allé au Mexique avec qui?
4. Dans quel restaurant avez-vous (est-ce que vous avez) dîné? Vous avez dîné dans quel restaurant?
5. Pourquoi André adore-t-il la cuisine mexicaine? Pourquoi est-ce qu'André adore la cuisine mexicaine?

Structure I

Quiz 5: Les expressions négatives

1. Non, je n'ai rien acheté à l'hypermarché.
2. Non, je n'ai rencontré personne près de la boulangerie.
3. Non, je ne fais jamais mes courses là-bas.
4. Non, je ne fais rien ce soir.
5. Non, il n'y a aucun magasin près de chez moi. (Non, il n'y en a aucun près de chez moi.)
6. Non, je ne vais plus faire mes courses à l'hypermarché.
7. Non, je n'y ai vu ni Sandrine ni Marc. (Non, je n'y ai vu personne.)
8. Non, ils ne sont jamais (ils ne sont plus) ensemble.
9. Non, ils ne vont voir personne demain.
10. Non, je ne suis jamais allé(e) (je ne suis pas encore allé[e]) au supermarché de la rue Mirabel.

Structure I

Quiz 6: L'imparfait

1. allait
2. étions
3. prenait
4. discutait
5. mangeais
6. avais
7. aimaient
8. faisions
9. flânions
10. dînais
11. finissait
12. sortais
13. alliez
14. aimiez
15. achetiez
16. étiez
17. aviez
18. préfériez
19. vendait
20. pouvaient

Journalisme

Quiz 7: Les jeunes Français et l'argent

A

1. Il est nécessaire de se serrer la ceinture quand on n'a pas beaucoup d'argent.
2. Quand on rentre au bercail, on rentre à la maison.
3. Quand on se trouve dans une mauvaise situation, on veut toujours s'en sortir.
4. Quand on veut porter ses bouquins au lycée, on les met dans un sac à dos (un cartable).
5. On va à la fac après le lycée. (On va au collège après l'école primaire.)

B

1. bourse
2. colonie de vacances
3. animateur
4. gratter sur
5. progéniture

Journalisme

Quiz 8: La France en 1900

A

1. d
2. c
3. b
4. e
5. a

B

1. a
2. c
3. c
4. b
5. b

Structure II

Quiz 9: Les adjectifs

1. vieil
2. parisienne
3. beaux
4. gentille
5. cruelle
6. agressive
7. gros
8. inquiets
9. furieuse
10. indiscrète

Structure II

Quiz 10: Le subjonctif ou l'infinitif

A

1. Je voudrais avoir un peu plus d'argent tous les mois.
2. Mes parents exigent que je travaille pendant les vacances.
3. Mais moi, j'aimerais chercher du travail maintenant.
4. Ma tante souhaite que je puisse travailler dans sa boutique après les cours.
5. Elle veut que mes parents soient moins stricts.

B

1. que tu ailles à la fête ce soir
2. que les invités y aillent en métro
3. que nous offrions un cadeau à Jean-Luc
4. que vous dansiez avec tout le monde
5. que je rentre tard

Structure II

Quiz 11: D'autres verbes au présent du subjonctif

1. achètes
2. apprennes
3. croyions
4. comprenions
5. reçoivent
6. veniez
7. appelions
8. prenions
9. comprenne
10. voie

Littérature

Quiz 12: La nausée

1. au fond
2. marins
3. se rappelle
4. faire ses adieux
5. tablier
6. prendre un verre
7. s'essuient
8. bonne
9. s'apercevoir
10. tendre

Littérature

Quiz 13: La réclusion solitaire

1. c	6. b
2. c	7. c
3. b	8. a
4. a	9. b
5. b	10. c

CHAPITRE 3

Culture

Quiz 1: Les loisirs en France

A

1. Elle fait du tir à l'arc.
2. Il écoute son baladeur (son walkman).
3. Elle bricole.
4. Il fait de la marche.
5. Elle allume (éteint) la télé avec la télécommande (le zappeur). (Elle change de chaîne avec la télécommande / le zappeur.) (Elle regarde la télé.)

B

1. J'ai envie d'écouter de la musique.
2. Il y a environ trois stations de radio que j'écoute régulièrement.
3. Le nombre d'auditeurs de ma station préférée augmente.
4. J'aimerais être présentateur. Voilà un métier super!
5. Après le travail, tout le monde mérite un peu de repos!

Conversation

Quiz 2: Le théâtre

A

1. un gentilhomme	4. un entracte
2. le foyer (des artistes)	5. hurler
3. une marquise	

B

1. Faux: Quand une pièce a beaucoup de succès, elle se joue à bureaux fermés.
2. Vrai.
3. Faux: Quand vous avez beaucoup aimé une pièce, vous dites que la pièce est géniale.
4. Vrai.

5. Faux: Quand on a des places à l'orchestre, on est plus près de la scène que quand on a des places à la galerie. (Quand on a des places à la galerie, on est plus loin de la scène que quand on a des places à l'orchestre.)

Langage

Quiz 3: Les goûts et les intérêts; Les antipathies

A

1. Ce livre m'a beaucoup plu. (J'ai adoré ce livre.)
2. Ce film est très drôle (rigolo, marrant).
3. Cette pièce l'intéresse beaucoup. (Cette pièce la passionne.)
4. Il est dingue de cette fille.
5. J'ai adoré ce concert. C'était sensass!

B

1. nul (mauvais, affreux, épouvantable, etc.)
2. supporter (sentir)
3. ennuyeux (embêtant, barbant, rasoir)
4. déplaît (énormément) (laisse froid[e])
5. fana

Structure I

Quiz 4: L'imparfait et le passé composé

A

1. b	4. b
2. a	5. a
3. b	

B

1. avais	6. a vu
2. s'appelait	7. étaient
3. a décidé	8. a acheté
4. voulait	9. a offertes
5. est sortie	10. a dit

Structure I

Quiz 5: Le comparatif et le superlatif

A

1. Vanessa est plus intelligente que Claire.
2. Michel nage plus vite que Victor.
3. Je vois moins de films que Nadine.
4. Antoine joue moins bien au tennis que Laurent.

5. Tu sors aussi souvent que moi.
6. Jacques lit autant de livres que son prof.

B

1. c
2. a
3. b
4. a

Journalisme

Quiz 6: Les Native

1. un but
2. une musicienne
3. parfois
4. retenu
5. un album

Journalisme

Quiz 7: La surfeuse et le coureur

1. b
2. b
3. a
4. b
5. c
6. b
7. a
8. a
9. c
10. c

Structure II

Quiz 8: Le subjonctif après les expressions d'émotion

A

1. soit
2. veniez
3. sache
4. aillent
5. voulions

B

1. *Answers will vary but may include the following:* Je suis étonné(e) que le prof de français me téléphone chez moi.
2. Je suis fâché(e) que mes parents ne veuillent pas me prêter leur voiture.
3. Je regrette (suis triste, désolé[e]) que ma meilleure amie ait la grippe.
4. Je suis très content(e)/heureux(-se) que mes notes soient toutes excellentes.
5. Je suis triste que mon ami ne vienne pas à ma fête.

Structure II

Quiz 9: Le subjonctif dans les propositions relatives

1. sache
2. puisse
3. parle
4. lit
5. écrit
6. connaisse

7. ait
8. ai
9. sais
10. soit

Structure II

Quiz 10: Le subjonctif après un superlatif

A

1. plaise
2. saches
3. ayons

B

1. la seule pièce de Racine que je connaisse
2. il n'y a rien que vous puissiez nous (me) montrer

Structure II

Quiz 11: Le passé du subjonctif

1. Je suis contente qu'il soit arrivé à l'heure hier.
2. Ils sont surpris que nous ayons fait une longue promenade ensemble.
3. Elle a peur que tu aies téléphoné pendant les vacances.
4. Vous regrettez que le père d'Aurore se soit cassé la jambe.
5. Il est étonné que vous soyez parti sans dire au revoir.
6. Ses parents souhaitent qu'elle ait vu de jolis paysages.
7. Tu crains que je sois monté dans la voiture sans mon copain.
8. Il est possible qu'ils aient déjà reçu la lettre.
9. Les élèves ont peur que leurs profs soient arrivés avant eux.
10. Le proviseur n'aime pas que nous soyons allés au gymnase avant les cours.

Littérature

Quiz 12: Les feuilles mortes

1. pas
2. feuilles
3. pelle
4. chanson
5. souviens
6. cabaret
7. chanteuse
8. effacer
9. remerciés
10. fidèles

CHAPITRE 4

Culture

Quiz 1: L'Union européenne

A

1. f
2. c
3. d
4. a
5. b
6. e

B

1. Il ne faut pas faire peur aux enfants.
2. Quand on va à l'étranger (dans un pays étranger), on doit passer la frontière.
3. Les Européens peuvent circuler librement en Europe maintenant.
4. Je me suis blessé l'autre jour, mais ce n'était pas grave.

Conversation

Quiz 2: Américains et Français

1. facilement
2. à mi-chemin
3. pressée
4. s'énerve
5. frappée
6. nerveux
7. qu'en-dira-t-on
8. reconnaître
9. prête à
10. chauvin

Langage

Quiz 3: Impressions personnelles

A

1. bonne
2. mauvaise
3. mauvaise
4. bonne

B

1. Je trouve
2. Pour moi
3. Tu as raison
4. Vous avez tort
5. Tu exagères
6. Enfin moi, finalement

Structure I

Quiz 4: Les prépositions avec des noms géographiques

A

1. au
2. à
3. en
4. au
5. en
6. aux

B

1. des
2. du
3. d'
4. du

Structure I

Quiz 5: Le pronom y

A

1. Ma copine y est allée.
2. Elle s'y intéresse.
3. Elle les y a vues.
4. Elle y a obéi.
5. J'y ai répondu.

B

1. Alain (il) y a répondu
2. je ne leur ai pas téléphoné
3. Sylvie (elle) m'y a retrouvé au café
4. elle n'y va pas avec lui (Georges)
5. il veut l'y conduire

Structure I

Quiz 6: Le futur

A

1. sera
2. pourront
3. nous parlerons
4. nous servirons
5. aura
6. m'assiérai
7. enverrai
8. regarderont
9. répondront
10. ferai

B

1. Vous connaîtrez bien cette ville.
2. Ma mère m'appellera au téléphone.
3. Tu ne voudras pas rester ici.
4. Vous saurez les résultats, n'est-ce pas?
5. Il faudra se dépêcher.

Journalisme

Quiz 7: L'écologie

A

1. métaux
2. respiratoire
3. sang
4. gaz d'échappement
5. nocives (néfastes)
6. azote
7. neige

B

1. b
3. c
2. b

Journalisme

Quiz 8: La protection des animaux

A

1. un manchot
3. un loup
2. une baleine

B

1. c
3. b
2. a
4. d

C

1. faux
4. vrai
2. faux
5. faux
3. faux

Journalisme

Quiz 9: Les Touaregs

A

1. Un forgeron a fait ce couteau.
2. Tout le monde est marié ici: il n'y a pas beaucoup de célibataires.
3. Ces chameaux sont curieux.
4. Dans ce pays il y a souvent la sécheresse.
5. Hier soir j'ai vu cet homme au restaurant. Il y dégustait un couscous.

B

1. puits
6. célibataire
2. pasteur
7. découvert
3. chèvres
8. tente
4. pâturage
9. natte
5. veille
10. bienfaisante

Structure II

Quiz 10: Le futur antérieur

A

1. Mais ton frère aura déjà fait ses devoirs.
2. Mais nous aurons déjà quitté Paris.
3. Mais vous vous serez déjà vus vendredi.
4. Mais tu auras déjà fini de dîner.
5. Mais nos copains seront déjà allés se coucher.

B

1. aurai passé
4. aura fait
2. auront corrigé
5. se seront téléphoné
3. aurons dit

Structure II

Quiz 11: Le futur et le futur antérieur avec **quand**

A

1. Vous enverrez la lettre quand vous saurez l'adresse.
2. Dès que le serveur arrivera, nous commanderons des boissons.

B

1. dès que leurs cousins seront partis
2. aussitôt que tu auras passé tes examens
3. lorsque les loups les auront vus

Structure II

Quiz 12: Le présent et l'imparfait avec depuis

1. connaissons
6. faisons
2. est
7. avait
3. faisait
8. disait
4. depuis
9. habitiez
5. est tombée
10. dormaient

Littérature

Quiz 13: Gens du Pays

A

1. un étang
4. récolter
2. un ruisseau
5. la neige
3. semer

B

1. c
4. a
2. b
5. c
3. c

Littérature

Quiz 14: La dernière classe

A

1. maître d'école
6. étouffé
2. chapeau
7. coups de règle
3. habit
8. punir
4. affiche
9. épeler
5. banc
10. écriture

B

1. b   4. e
2. c   5. a
3. d

CHAPITRE 5

Culture

Quiz 1: Les faits divers

A

1. rase   6. effraction
2. agglomération   7. cambrioleur
3. casque   8. voleur
4. parcmètre   9. vol
5. vitre   10. abîmé

B

1. c   4. e
2. b   5. a
3. d

Conversation

Quiz 2: Au voleur!

A

1.–5. *Answers will vary.*

B

1. b   4. b
2. a   5. a
3. c

Langage

Quiz 3: D'accord ou pas

1. *Answers will vary but may include the following:* Je ne suis pas d'accord. (Je suis d'accord.)
2. C'est aussi mon avis. (Ce n'est pas mon avis.)
3. Je suis de votre avis. (Je ne suis pas du tout d'accord!)
4. Je suis contre cette idée. (Je suis tout à fait d'accord!)
5. Je ne suis pas convaincu(e). (C'est aussi mon avis.)

Langage

Quiz 4: Oui, non peut-être

1. *Answers will vary but may include the following:* C'est vrai.
2. Pas du tout.
3. Peut-être.
4. C'est entendu.
5. Pas question!
6. C'est possible.
7. Tout à fait.
8. C'est hors de question.
9. Si tu le dis.
10. Effectivement.

Langage

Quiz 5: Savoir converser

1. Dis donc
2. Moi, je trouve
3. Ça me fait penser que
4. Dis
5. À propos

Structure I

Quiz 6: Les pronoms compléments directs et indirects

A

1. je la prends
2. je l'invite
3. Robert (il) va nous accompagner
4. je lui téléphone aussi
5. je ne vais pas leur parler

B

1. La fille l'a vu.
2. Elle les a appelés tout de suite.
3. Elle leur a téléphoné d'une cabine téléphonique.
4. Les pompiers lui ont demandé où était le feu.
5. Plus tard, ils l'ont remerciée.

Structure I

Quiz 7: Deux pronoms compléments ensemble

A

1. Les voleurs le lui ont demandé.
2. Le touriste les leur a donnés.

3. Les voleurs ne les lui ont pas rendues.
4. Au commissariat, le touriste le lui a déclaré.
5. Le touriste la lui a montrée.

B

1. me	6. leur
2. les	7. vous
3. te	8. les
4. l'	9. nous
5. la	10. les

Structure I

Quiz 8: Les pronoms compléments avec l'impératif

A

1. lui	4. les
2. moi	5. la
3. leur	

B

1. Ne le leur donne (donnez) pas!
2. Offre-les-lui. (Offrez-les-lui.)
3. Envoie-le-lui! (Envoyez-le-lui!)
4. Ne la lui rendez pas.
5. Écrivez-la-lui.

Journalisme

Quiz 9: La manchette

1. b	6. a
2. c	7. b
3. a	8. c
4. b	9. a
5. c	10. b

Journalisme

Quiz 10: À la rubrique «Faits divers»

A

1. vrai	4. faux
2. faux	5. vrai
3. vrai	

B

1. b	3. c
2. a	4. d

C

1. commune	3. mal
2. natale	4. franchi

5. écrasée	7. chatte
6. rescapés	8. paillasson

Structure II

Quiz 11: Le passé simple des verbes réguliers

1. déjeuna	6. ouvrit
2. entrèrent	7. rompirent
3. sortit	8. se levèrent
4. attendit	9. commença
5. se sentirent	10. vendirent

Structure II

Quiz 12: Le passé simple des verbes irréguliers

1. eut	6. s'assirent
2. dut	7. reçurent
3. vinrent	8. fit
4. surent	9. burent
5. mourut	10. prit

Structure II

Quiz 13: Le subjonctif après les conjonctions

A

1. fasse	4. achetions
2. partes	5. soient
3. puissiez	6. viennent

B

1. a	3. c
2. b	4. a

Littérature

Quiz 14: Les misérables

A

1. le mal	4. voler
2. s'enfuir	5. appartenir (à)
3. (parler) à voix basse	

B

1. e	6. g
2. d	7. j
3. c	8. h
4. b	9. a
5. f	10. i

C

1. escalade
2. saute
3. se promène
4. se baisse
5. goût

CHAPITRE 6

Culture

Quiz 1: Adultes/jeunes

1. cote
2. exigence
3. mentent
4. mensonge
5. nouent
6. bonne conduite
7. mauvaise conduite
8. interdit
9. foi
10. patrie

Conversation

Quiz 2: Vivre en famille

1. Aimez-vous faire les tâches ménagères?
2. La seule chose que j'aime, c'est faire le marché.
3. Chez nous, on répartit ce qui doit être fait chaque jour.
4. Mais ma sœur trouve que nous ne le faisons pas équitablement.
5. Elle adore se plaindre.
6. Elle s'énerve parce que, d'après elle, les garçons ne travaillent pas assez.
7. Mais je lui dis que ce n'est pas vrai. Nous l'aidons toujours à la maison. Nous mettons la main à la pâte.
8. L'autre jour elle a fait une comédie incroyable!
9. Je lui ai dit: «Écoute, ce n'est pas sorcier. Engageons quelqu'un pour faire le travail.»
10. Mais elle a répondu: «Non, non et non! Ce serait gâcher de l'argent!»

Langage

Quiz 3: Félicitations et condoléances

A

1. c
2. e
3. a
4. b
5. d

B

1. *Answers will vary but may include the following:* Avec tous mes vœux de bonne santé pour la maman.

2. Toutes mes félicitations pour votre mariage.
3. Joyeux anniversaire!
4. Joyeux Noël!
5. Je vous présente mes plus sincères condoléances.

Structure I

Quiz 4: Le partitif

1. des
2. les
3. de
4. de
5. des
6. d'
7. du
8. de la
9. des
10. de la

Structure I

Quiz 5: Le pronom en

1. J'en vois souvent.
2. Mes copains et moi aimons en parler.
3. J'en ai beaucoup qui sont fanas de cinéma.
4. Nous en avons vu plusieurs l'année dernière.
5. Mon copain Denis n'en a pas besoin pour comprendre.
6. Il parle souvent de lui.
7. Il en a vu beaucoup.
8. Il nous en a recommandé trois.
9. Tu aimes en voir?
10. Tu ne m'en as jamais parlé.

Structure I

Quiz 6: Les pronoms relatifs qui et que

A

1. qui
2. que
3. qui
4. ce qui
5. ce qu'

B

1. Patricia est une fille qui chante bien.
2. Elle a écrit des chansons qu'elle aime chanter pour ses amis.
3. On a présenté Patricia à un producteur qui lui a demandé de faire un disque.
4. J'ai entendu à la radio une belle chanson que Patricia chantait.
5. Mes parents viennent de m'acheter l'album que Patricia a enregistré.

Structure I

Quiz 7: Le pronom relatif **dont**

A

1. Tu connais la femme dont le mari est joueur de foot.
2. J'adore deux ou trois auteurs dont les livres sont comiques.
3. Sophie a rencontré une vedette dont elle a oublié le nom.
4. Mireille veut voir un film dont le titre l'intéresse.
5. C'est un prof très sympa dont nous admirons l'intelligence.

B

1. dont
2. que
3. qui
4. dont
5. qui

Journalisme

Quiz 8: Les grandes occasions

1. c
2. a
3. b
4. b
5. a
6. b
7. a
8. c
9. a
10. b

Journalisme

Quiz 9: Garçons–Filles

1. s'ennuyer
2. se partage
3. instituteur
4. s'occupe, s'occupe
5. boulot

Structure II

Quiz 10: Les prépositions avec les pronoms relatifs

A

1. C'est la jeep avec laquelle Joëlle est partie à la montagne.
2. C'est l'examen pour lequel j'ai beaucoup à étudier.
3. Voilà le cinéma près duquel Martine habite.
4. Ce sont les immeubles modernes en face desquels je travaille.
5. C'est le petit village où (dans lequel) mes parents ont passé l'été.

B

1. que
2. qui
3. auquel
4. dont
5. lesquels
6. qui
7. où
8. auxquelles
9. où
10. dont

Structure II

Quiz 11: Le subjonctif avec des expressions de doute

1. viendra
2. permette
3. puissent
4. faisons (ferons)
5. sachiez
6. réussisse
7. aies
8. vends (vendrai)
9. soit
10. aurons

Structure II

Quiz 12: Le plus-que-parfait

1. vous étiez fiancée
2. avais fait
3. avait été
4. étaient partis
5. s'était perdu
6. avait volé
7. avait sonné
8. avais dû
9. avaient fini
10. avions connu

Littérature

Quiz 13: La mauvaise réputation

A

1. c
2. a
3. b
4. d

B

1. c
2. b
3. a
4. b
5. b
6. c
7. a
8. a

Littérature

Quiz 14: Le corbeau et le renard

1. renard
2. menti
3. saisi
4. bec
5. bois

CHAPITRE 7

Culture

Quiz 1: La santé des Français

A

1. d
2. f
3. a
4. b
5. c
6. e

B

1. faire de la randonnée
2. faire de l'équitation
3. faire du ski de fond
4. faire de la marche

C

1. guérir
2. prévenir
3. se plaignent
4. recherche
5. accroissement

Conversation

Quiz 2: En pleine forme

1. examen
2. pouls
3. tension
4. prise
5. poumons
6. santé
7. exige
8. nourriture
9. cardiaques (pulmonaires)
10. pulmonaires (cardiaques)

Langage

Quiz 3: La santé physique

A

1. Ça va bien. (Je vais bien.)
2. Pas très bien. (Comme ci, comme ça. / Je ne suis pas en forme. / Je ne suis pas dans mon assiette.)
3. Je suis enrhumé(e). (J'ai un rhume.)
4. Je suis en pleine forme. (Je vais très bien.)

B

1. J'ai une fièvre de cheval.
2. Je suis crevé(e).
3. J'ai un appétit d'oiseau.
4. Je dors debout.

C

1. Remets-toi vite!
2. Soigne-toi bien!

Langage

Quiz 4: Le bien-être psychologique

A

1. heureuse
2. fâchée
3. malheureuse
4. fâchée
5. malheureuse
6. heureuse
7. malheureuse
8. fâchée
9. malheureuse
10. fâchée

B

1. ennuyeux (rasoir, embêtant)
2. ennuie (embête, rase)
3. marre (assez)
4. ennuie (embête)
5. les pieds

Structure I

Quiz 5: Les verbes réfléchis

A

1. me brosse
2. nous habillons
3. te dépêches
4. vous réveiller
5. nous regardons
6. ne me lève jamais
7. se couchent
8. se voir

B

1. couchons
2. se lavent
3. laver
4. brosses

Structure I

Quiz 6: Les verbes réfléchis au passé composé

Élisabeth **s'est levée** de bonne heure. Elle **s'est lavé** la figure, **s'est brossé** les dents et **s'est maquillée** avant d'aller faire de l'équitation au bois de Boulogne avec sa copine Michèle. Quand les deux filles **se sont vues,** elles ne **se sont pas donné** la main; elles **se sont embrassées.** Bonnes cavalières toutes les deux, elles **se sont beaucoup amusées** à faire du cheval. Mais quand Élisabeth **s'est rappelé** son rendez-vous avec son ami Philippe, elle **s'est dépêchée** pour ne pas être en retard. Naturellement, elle **a eu** un accident. Elle s'est cassé la jambe. Dans la salle des urgences, elle s'est beaucoup plainte.

Deux mois plus tard, les deux filles se sont séparées pendant les vacances. Elles se sont écrit et se sont téléphoné de temps en temps. Elles se sont parlé pendant des heures.

Structure I

Quiz 7: Le pronom interrogatif qui

A

1. Qui
2. qui (qui est-ce qui)
3. Qui est-ce que
4. qui
5. qui est-ce que

B

1. Qui (Qui est-ce qui) va ouvrir la fenêtre?
2. Qui nos voisins ont-ils salué dans la cour? (Qui est-ce que nos voisins ont salué dans la cour?)
3. Avec qui Jean-Paul est-il sorti hier soir? (Avec qui est-ce que Jean-Paul est sorti hier soir? / Jean-Paul est sorti avec qui hier soir?)
4. Qui lui a fait une radio des poumons? (Qui est-ce qui lui a fait une radio des poumons?)
5. À qui est-ce que M. Perrin a téléphoné? (À qui M. Perrin a-t-il téléphoné? / M. Perrin a téléphoné à qui?)

Structure I

Quiz 8: Les pronoms interrogatifs que et quoi

1. Qu'est-ce qui est ennuyeux?
2. De qui le prof va-t-il enseigner les pièces? (De qui est-ce que le prof va enseigner les pièces?)
3. Qu'est-ce que vous avez visité l'année dernière? (Qu'avez-vous visité l'année dernière?)
4. De quoi sa mère a-t-elle besoin? (De quoi est-ce que sa mère a besoin?)
5. Sur quoi est-ce que Jean-Luc met ses skis? (Sur quoi Jean-Luc met-il ses skis?)
6. Qu'est-ce qui s'est passé ici?
7. Dans quoi le héros met-il le trésor à la fin de ce film? (Dans quoi est-ce que le héros met le trésor à la fin de ce film?)

8. Qui ont-ils vu au cinéma hier? (Qui est-ce qu'ils ont vu au cinéma hier?)
9. Qui était à la piscine? (Qui est-ce qui était à la piscine?)
10. À quoi pense-t-elle souvent? (À quoi est-ce qu'elle pense souvent?)

Journalisme

Quiz 9: L'oreille et le bruit

1. b
2. a
3. b
4. c
5. b
6. c
7. a
8. c
9. b
10. a

Journalisme

Quiz 10: Régime

1. grains
2. maïs
3. picorent
4. grignotage
5. piège
6. éviter
7. escamote
8. bout
9. souris
10. grignoter

Structure II

Quiz 11: Les pronoms interrogatifs et démonstratifs

A

1. Quel, celui-là
2. quelle, Celle-là
3. lesquels, ceux-là (celui-là)
4. Lesquelles, Celles-là
5. Quelle, celle-là

B

1. Celle qui
2. Celle que
3. celle de
4. celui dont
5. ceux qui

Structure II

Quiz 12: Les pronoms possessifs

1. le tien
2. les miens
3. la sienne
4. les miennes
5. le nôtre
6. les vôtres
7. les siens
8. les leurs
9. le leur
10. les tiennes

Littérature

Quiz 13: Le malade imaginaire

1. poumons
2. le ventre
3. de cœur
4. lassitude
5. douleurs
6. aisée
7. ambulants
8. son gré
9. la tête
10. au foie

Littérature

Quiz 14: Knock

1. b
2. c
3. a
4. a
5. b
6. c
7. b
8. a
9. b
10. c

CHAPITRE 8

Culture

Quiz 1: Les Français et les arts

1. chantier
2. fouilles
3. vestiges
4. roi
5. aile
6. palais
7. fier
8. souterraine
9. piétonnier
10. patrimoine

Culture

Quiz 2: La recherche scientifique

1. b
2. c
3. a
4. c
5. b
6. b
7. c
8. a
9. c
10. b

Conversation

Quiz 3: Visite à la Grande Arche

A

1. *Answers will vary but may include the following:* La fille est légère. Elle ne pèse que 30 kilos.
2. L'éléphant est lourd. Il pèse une tonne.
3. Le garçon regarde (jette un coup d'œil) vers le bas. Il a le vertige.
4. Il y a beaucoup de gens dans l'ascenseur. Ils sont serrés.

B

1. quartier
2. toit
3. dépaysée
4. à peine

Langage

Quiz 4: Réactions

A

1. c
2. b
3. a
4. b
5. a

B

1. aime
2. n'aime pas
3. aime
4. n'aime pas
5. n'aime pas

Structure I

Quiz 5: Le conditionnel présent

1. pourrais
2. aimerais
3. voudrions
4. viendraient
5. étonnerait
6. serions
7. plairait
8. aurait
9. pourrait
10. saurait

Structure I

Quiz 6: L'infinitif passé

1. avoir visité
2. avoir vue
3. être allées
4. avoir passé
5. s'être maquillée
6. avoir fait
7. nous être couchés
8. ne pas être descendue
9. avoir lues
10. avoir oubliées

Structure I

Quiz 7: Le participe présent

A

1. Je me suis cassé la jambe en faisant du ski. (En faisant du ski, je me suis cassé la jambe.)
2. En allant au magasin, Sandrine a perdu son chemin. (Sandrine a perdu son chemin en allant au magasin.)
3. Nous lui avons dit au revoir en partant. (En partant nous lui avons dit au revoir.)

4. Sachant que j'avais encore du travail à faire, il est allé seul au cinéma. (Il est allé seul au cinéma, sachant que j'avais encore du travail à faire.)

5. Ayant mal à la tête, j'ai pris de l'aspirine.

B

1. Ayant jeté un coup d'œil sur les fleurs, mes cousins sont rentrés.
2. Étant montées dans leur chambre, les femmes se sont couchées.
3. S'étant dépêché, mon père s'est senti fatigué.
4. Ayant servi les boissons, les stewards se sont assis.
5. Ayant été piquée par un insecte, ma tante n'est plus allée dans son jardin.

Journalisme

Quiz 8: Toulouse-Lautrec vu par Fellini

1. marionnettes	9. écuyers
2. émerveillés	10. écuyère
3. spectacle	11. foire
4. regards (gestes)	12. exprimé
5. gestes (regards)	13. cinéaste
6. cirque	14. metteurs en scène
7. habits	15. rentier
8. trapézistes	16. rentes

Journalisme

Quiz 9: Les aventures de Tintin

1. b	6. b
2. c	7. c
3. b	8. c
4. c	9. a
5. a	10. c

Structure II

Quiz 10: Le conditionnel passé

1. aurait voulu	6. auraient préféré
2. auriez étudié	7. auraient prêté
3. aurait demandé	8. aurais refusé
4. aurais faits	9. aurais emprunté
5. me serais couchée	10. auraient offert

Structure II

Quiz 11: Les propositions avec si

1. irons	3. téléphone
2. preniez	4. partirait

5. aurais pu	8. auriez fait
6. seraient allés	9. auraient dû
7. passerais	10. donnez

Structure II

Quiz 12: Le **faire** causatif

A

1. Oui (Non), je (ne) les fais (pas) nettoyer.
2. Oui (Non), mes parents (ne) me la font (pas) faire.
3. Oui, le prof nous en fait passer.
4. Oui (Non), il (ne) la leur a (pas) fait chanter.
5. Oui (Non), je (ne) le fais (pas) rire.

B

1. se sont fait couper	4. se sont fait faire
2. se sont fait tailler	5. ont fait laver
3. s'est fait faire	

Littérature

Quiz 13: Le jet d'eau

A

1. d	4. e
2. c	5. b
3. a	

B

1. b	4. b
2. c	5. c
3. a	

Littérature

Quiz 14: Sans dessus dessous

A

1. Oslo est la capitale de la Norvège.
2. Dans la mer, près du Pôle Nord, il y a beaucoup de glaciers.
3. J'habite sur la Côte d'Azur parce que j'aime la chaleur.
4. Fais attention: les rayons du soleil peuvent être dangereux.
5. Les fleurs qui s'ouvrent pendant la journée sont des fleurs diurnes.

B

1. a	4. b
2. b	5. a
3. c	

Littérature

Quiz 15: La légende de la peinture

A

1. c
2. d

3. b
4. a

B

1. sourire
2. jeter un coup d'œil
3. un restaurant

4. le rêve
5. vide
6. perdre